Arbeitsbuch

Gabriele Kopp
Josef Alberti
Siegfried Büttner

Hueber Verlag

Arbeitsanweisungen in Planetino

Diese Aufgaben findest du oft im Buch. Wenn du sie nicht gleich verstehst, kannst du hier nachsehen. Die Bilder erklären sie dir.

 Schneid aus und kleb ein.

 Schreib.

 Mach Kreuzchen.

 Mach Pfeile.

 Lies.

 Mal an.

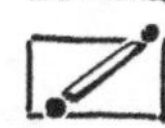 Verbinde.

 Unterstreich.

Quellenverzeichnis

S. 7: Rahmen © Thinkstock/iStock/marzolino
S. 15: © Siegfried Büttner, Berlin
S. 17: Timo © iStockphoto/Jane Norton; Jonas © iStockphoto/Galina Barskaya; Vera © PantherMedia/Harald Jeske; Lisa © iStockphoto/MarkPapas; Handydisplay © iStockphoto/milosluz
S. 27: Familie: Alexander Keller, München; Würfel © Hueber Verlag/Katharina Kiermeir
S. 30: Handydisplay © iStockphoto/milosluz
S. 34: 1 © PantherMedia/Thomas Lammeyer; 2 © PantherMedia/Radka Linkova; 3 © PantherMedia/Frank Röder; 4 © PantherMedia/Elizabeth Beeler-Atkinson; 5 © PantherMedia/Andres Rodriguez
S. 38: Handydisplay © iStockphoto/milosluz
S. 42: 22 © iStockphoto/assalve; 100 © iStockphoto/Lya_Cattel
S. 49: Handydisplay © iStockphoto/milosluz
S. 53: © fotolia/Angelika Möthrath
S. 54: Hintergrund Zeitung © Thinkstock/Hemera/Dzmitry Sukhavarau
S. 66: links von oben: © fotolia/Gehkah; © MEV/Wendler Martin; © PantherMedia/Monkeybusiness Images; rechts von oben: © DIGITALstock/A. Volke; © MEV/Horn Peter; © MEV/Pohl Michael
S. 72: © irisblende.de
S. 88: Hintergrund Zeitung © Thinkstock/Hemera/Dzmitry Sukhavarau
S. 99: Seitenrand Theatervorhang © Thinkstock/iStock/Christos Georghiou
S. 105: Text Ü 4 aus „Atem anhalten – und ab in die Ferien!" von Anne Goebel © Süddeutsche Zeitung, 27.07.2007
S. 106: Hintergrund Buch © Thinkstock/iStock; Text „Prinz, der Kicker" von Claudia Lander, Kleine Lesetiger Schulgeschichten © Loewe Verlag GmbH Bindlach, 2011

Im Lernmittel wird in Form von Symbolen auf CDs verwiesen. Diese enthalten – bis auf die Hörverstehensübungen – ausschließlich optionale Unterrichtsmaterialien; sie unterliegen nicht dem staatlichen Zulassungsverfahren.

Die Mediencodes enthalten zusätzliche Unterrichtsmaterialien, die der Verlag in eigener Verantwortung zur Verfügung stellt.

7. 6. 5. | Die letzten Ziffern
2021 20 19 18 17 | bezeichnen Zahl und Jahr des Druckes.
Alle Drucke dieser Auflage können, da unverändert,
nebeneinander benutzt werden.
1. Auflage

Redaktion: Kathrin Kiesele, Hueber Verlag, Ismaning, Maria Koettgen, München
Umschlagillustration: Bettina Kumpe, Braunschweig
Layout: Lea-Sophie Bischoff, Hueber Verlag, Ismaning
Zeichnungen: Bettina Kumpe, Braunschweig; Ute Ohlms, Braunschweig
Comics: Bettina Kumpe, Braunschweig
Druck und Bindung: Firmengruppe APPL, aprinta druck GmbH, Wemding
Printed in Germany
ISBN 978-3-19-311578-2
ISBN 978-3-19-451578-9 (mit CD-ROM)

Art. 530_10701_001_08

Inhalt

Schule

Alle meine Tiere

Theater: Hans im Glück

Lesen

Extraseiten zum Lernen und Behalten

Material zum Schneiden und Kleben

Vorwort

Liebe Schülerin, lieber Schüler,

das ist Dein Arbeitsbuch. Hier kannst Du üben, was Du im Kursbuch gelernt hast. Du findest die **fünf Module** aus dem Kursbuch wieder.

Außerdem gibt es **Übungen zur Theaterlektion** und am Schluss mehrere **Lesetexte** mit **Lesetipps**. Die zeigen Dir, wie Du die Texte leichter verstehst.
Du bekommst auch Tipps, die Dir beim Lernen helfen. Diese **Lerntipps** kannst Du Dir selbst erarbeiten, z.B. die richtige Lösung ankreuzen oder etwas ausfüllen.

Lesen

Portfolio

Am Ende des Arbeitsbuchs findest Du zwei Blätter für Dein **Portfolio** mit Übungen zur **Mehrzahl** und zu **schwierigen Verben**.

Am **Anfang jedes Moduls** gibt es eine Seite, auf der Du aufschreiben kannst, was Du zu dem Thema schon weißt. Die Bilder und Wörter helfen Dir dabei.

Die Seite **„Das bin ich"** wächst mit Dir. Je mehr Du gelernt hast, desto mehr kannst Du dort eintragen.

Die Übungen

➲ 3-4 Die Nummer sagt Dir, zu welcher Übung im Kursbuch diese Übung passt.

Manche Übungen sind leichter und manche schwerer. Leichte Übungen haben kein Zeichen. Diese Übungen kannst Du sicher ohne Hilfe lösen.

Differenzierung

Diese Übungen sind mittelschwer. Vielleicht schaffst Du diese Übungen allein, vielleicht brauchst Du ein wenig Hilfe.

Diese Übungen sind ziemlich schwer. Aber vielleicht kannst Du schon so gut Deutsch, dass Du diese Übungen allein lösen kannst?
Wenn nicht, dann lass Dir helfen.

Manche Übungen bestehen aus zwei Teilen. Du kannst versuchen, die Übungen allein zu machen. Wenn sie zu schwer sind, findest Du im zweiten Teil Hilfe.

Manche Übungen kannst Du selbst leichter oder schwerer machen. Das sind die Übungen „Schneid aus und kleb ein oder schreib". „Schneiden und Kleben" ist leichter, denn Du musst nicht selbst schreiben. Außerdem kannst Du die Kärtchen so lange schieben, bis alles richtig ist.
Beim Schreiben hast Du zwei Möglichkeiten:

- Du schreibst auswendig, wenn Du aus dem Text verstehst, was da hineingehört.
- Du liest zuerst in den Schneideseiten (ab S. 111), was Du hineinschreiben sollst.

Übungen mit diesem Zeichen kannst Du alleine lösen und selbst kontrollieren, ob Du alles richtig gemacht hast.

selbstständiges Lernen

Puzzle Hier musst Du Dich bei jeder Aufgabe für eine von drei Möglichkeiten entscheiden. Daneben steht eine Zahl. Such in den Seiten zum „Schneiden und Kleben" das Puzzle-Teil mit der gleichen Zahl, schneid es aus und leg es auf das passende Feld unten im Raster. Wenn Du alle Lösungen richtig hast, entsteht ein Bild.

Bilderlotto Schneid die Bilder zum Lotto aus (Material zum „Schneiden und Kleben“) und leg sie auf das passende Wort. Wenn Du alles richtig gemacht hast, ergibt sich von Bild zu Bild eine durchgehende Linie. Ihr könnt auch Bilderlotto spielen.
Lösungswort Bei diesen Übungen entsteht bei der richtigen Lösung ein Wort. Das gilt für Kreuzworträtsel, Übungen, bei denen Du die Lösung aussuchen oder passende Textteile finden musst.
Rechenrätsel Bei diesen Übungen musst Du die Zahlen der Lösungen in die Rechnung eintragen und dann ausrechnen. Wenn das angegebene Ergebnis stimmt, hast Du alles richtig gemacht.
Labyrinth Hier entsteht ein Dialog. Bei jedem Schritt musst Du Dich zwischen zwei Aussagen entscheiden und so den Weg durch das Labyrinth finden. Wenn Du den richtigen Weg gefunden hast, kommst Du am Schluss bei einem Bild an.
Ausmalen Ein Bild ist in viele Felder aufgeteilt. In jedem Feld stehen eine Zahl und ein Wort. Die Zahlen passen zu den Aufgaben oben. Für jede Aufgabe gibt es zwei oder drei Möglichkeiten. Du musst die passende Zahl im Bild suchen. Entscheide Dich dann für eine Lösung und mal dieses Feld aus. Wenn Du alle Lösungen richtig hast, entsteht ein Tier oder ein Gegenstand.

Wiederholung

Nach den Übungen zum Modul wiederholst Du auf den Seiten **„Weißt Du das noch?“** Sätze und Wörter aus früheren Modulen.
In der **Wortliste** stehen alle Wörter, die Du in diesem Modul lernst.
Auf diese Zeile ____________ schreibst Du *der*, *das* oder *die*.
Auf diese Zeile _ _ _ _ _ _ _ _ schreibst Du die Mehrzahl.

Portfolio
Selbsteinschätzung

Am **Ende des Moduls** findest Du zwei Blätter für Dein **Portfolio**.
Auf den Seiten **„Das habe ich gelernt“** kannst Du testen, was Du noch weißt.

Und so kannst Du das machen:

Schritt 1: Falte den Rand mit den Lösungen nach hinten, sodass Du die Lösungen nicht mehr sehen kannst.

Schritt 2: Schau die Bilder an, lies die Überschriften, zum Beispiel „Beschreiben“, und lies die Satzanfänge. Nun denk nach: „Was kann man da sagen? Weiß ich das?“

☺	😐	☹

Du glaubst, Du weißt alles? Dann mach ein Kreuzchen bei ☺.
Du weißt manches, aber nicht alles? Dann mach ein Kreuzchen bei 😐.
Du glaubst, Du weißt gar nichts? Dann mach ein Kreuzchen bei ☹.

Schritt 3: Schreib in die Zeilen, was zu den Bildern passt.

Schritt 4: Falte die Lösung auf und vergleiche.

Schritt 5: Wenn Du wenig gewusst hast, dann ist das nicht so schlimm. Lies die Lösungen am Rand noch einmal durch und mach für heute Schluss. Probier das Ganze später noch einmal.

In den **Grammatik-Comics** kannst Du das Wichtigste aus dem Modul wiederholen. Lern die Comics auswendig!

Und nun viel Spaß und viel Erfolg mit Deinem Arbeitsbuch.
Das wünschen Dir

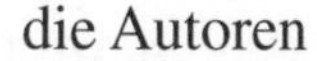

die Autoren

Das bin ich

P.S. Copy paragraph in Deutschest

Ich heiße Tomomas d

Ich bin ~~mzhe~~ zhen Jahre alt.

Ich habe ~~Dezember~~ ~~zwei~~ am 2. Dezember Geburtstag.

Ich wünsche mir ~~Mein Mutter~~ ~~und~~ ein gutes Leben

Meine Familie: ~~Ich~~ Mein ~~Mutter~~ Mutti und Mein ~~Vater~~ Vati. Ich und user hund. Meine Mutt heißt Kayoko Mein Vati heißt Makoto. Mein hund heißt Emi. Emi ist nicht Jugen. Emi ist meine schwester. Ich habe zwei cousins. Eine Kusin und einen Cousin. Sie sind älter als ich.

Meine Schule: heißt "Yehudi Menuhin Schule"

Meine Lieblingsfächer: sind Geschichte, Theatre sport und sport

Meine Freunde/Freundinnen: Meine Freunde ist Magnus, caitlin, Jame...

Das mache ich in der Freizeit: ~~Four Seasons:~~ spring ~~Ich höre manchmal~~ ~~In meiner Freizeit~~ höre ich ~~manchmal~~ Musick, spiele fußball und lese

Meine Lieblingstiere: Hund und Katzen

Ich habe einen hund

Haustier(e): ~~Ich habe hund hund~~ (BM)

Ich habe einen hund

Das esse ich gern: Ich gern essen ~~hamb~~ burger Pasta und spaghetta Bologneese ~~der~~ Pizza

(Hier kannst du ein Foto von dir einkleben oder ein Bild von dir malen.)

Was tut denn weh?

a) Du kennst schon viele deutsche Wörter und Sätze.

Personen beschreiben

Wie ist ______________________________ ?

groß, ______________________________

____

schön ______________________________

auffordern und ablehnen

Wir spielen ______________________________ .

Möchtest du ______________________________ ?

Komm, wir ______________________________ .

Ich habe keine ______________________________ .

Wie ______________________________ !

Tut mir ______________________________ .

Ich kann ______________________________ .

Ich kann nicht ______________________________ .

b) Schreib die Wörter an die richtige Stelle.

~~Ei~~ • Schokolade • Kaffee • Pizza • Hamburger

Essen

Ei ______________________________

____

____

____

Trinken

____

Kopf, Bauch und so weiter

1 Wie heißt das auf Deutsch?

1–2 Verbinde die Bilder und Wörter mit Pfeilen.

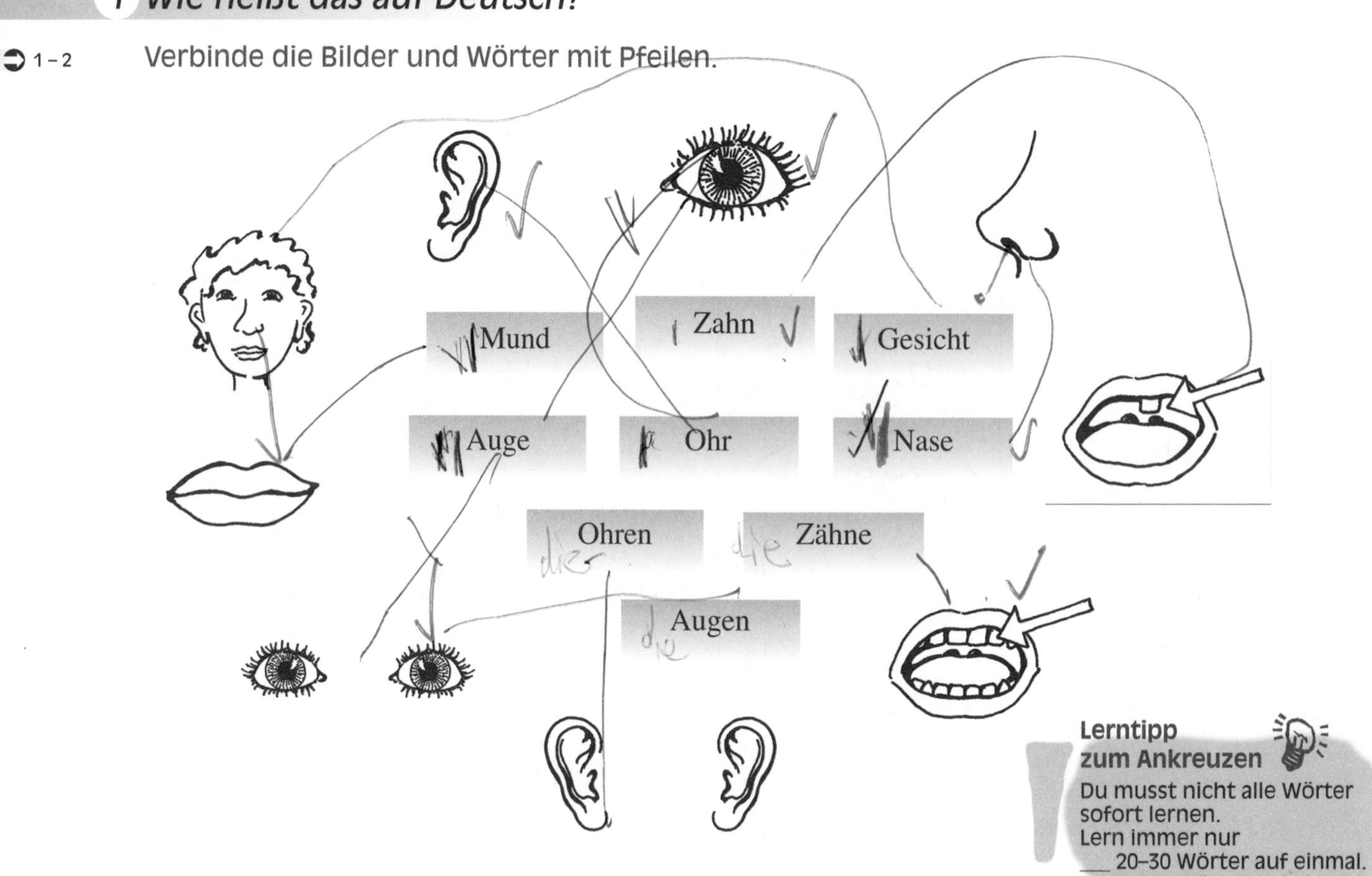

Lerntipp zum Ankreuzen

Du musst nicht alle Wörter sofort lernen.
Lern immer nur
___ 20–30 Wörter auf einmal.
___ 5–7 Wörter auf einmal.

K

2 Von Kopf bis Fuß

1–2 Wie heißen die Körperteile? Schreib die Zahlen zu den Wörtern.

3 Kreuzwortgitter

1 – 2 Schreib die Wörter aus Übung 1 und 2 an die richtige Stelle.

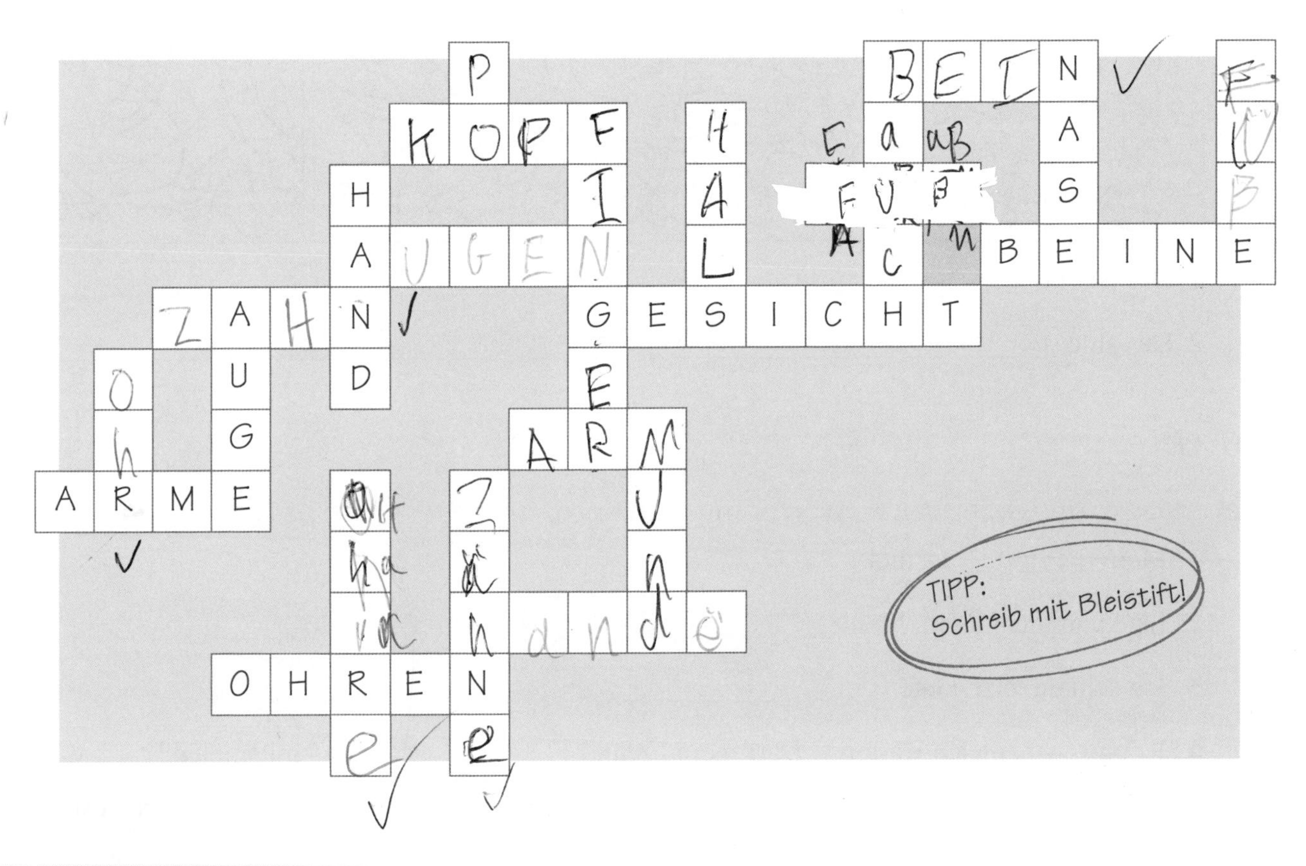

4 Planetino macht Quatsch

1 – 2 **a)** Mach die Sätze richtig. Schreib die Sätze unten auf.

A: Nein, das ist dein ______________________

B: ______________________

C: ______________________

D: ______________________

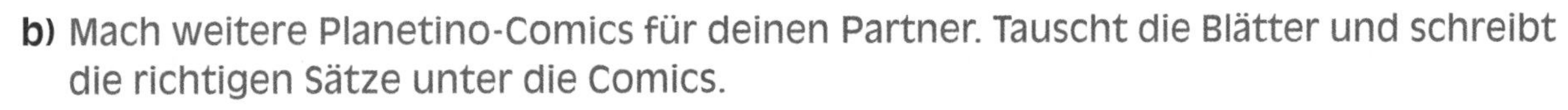

b) Mach weitere Planetino-Comics für deinen Partner. Tauscht die Blätter und schreibt die richtigen Sätze unter die Comics.

5 Was ist das?

3 Manche Felder haben Punkte. Mal diese Felder aus.
Was ist das? Schreib Sätze.

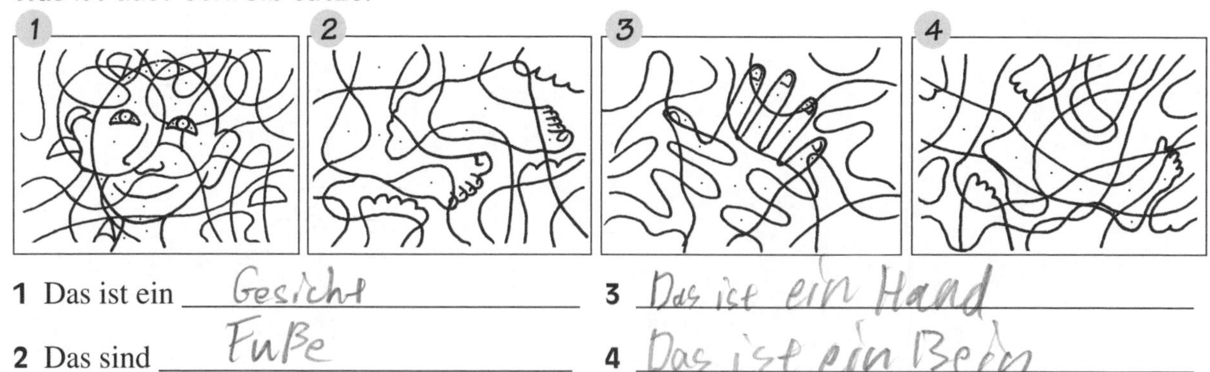

1 Das ist ein Gesicht

2 Das sind Fuße

3 Das ist ein Hand

4 Das ist ein Bein

6 ch

4 **a)** Ergänze die Sätze. Welche Wörter mit *-ach*, *-och*, *-uch* oder *-auch* passen hinein?

1 Mein Bauch ist dick.

2 Ich kann nicht lesen. Mein Buch ist weg. – Da ist es doch !

3 Ich schlafe jetzt. Gute Nacht .

4 Komm, wir spielen Karten. – Darf mein Freund auch mitspielen?

5 Wer ist dran? – Du bist noch mal dran.

6 Ist das ein Schal? – Nein, das ist doch ein Tuch . – Ach so!

b) Zu schwer? Die Purzelwörter helfen dir.

1 ~~au B ch~~ **2** B ch u – ch d o **3** a ch N t

4 ch au **5** ch n o **6** ch d o – ch T u – ch A

7 Wie sehen die Personen aus?

5–7 **a)** Ordne die Sätze den Personen zu. Schreib die Buchstaben: A(rno), E(mil), U(do).

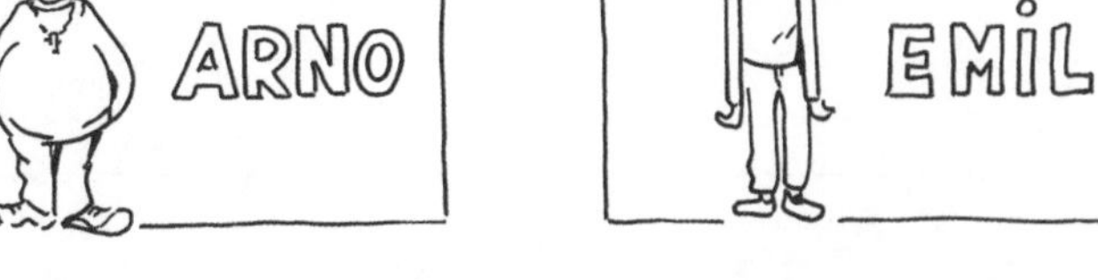

V Die Beine sind kurz.
E Die Nase ist lang.
A Die Ohren sind groß.

A Die Haare sind lang.
U Der Hals ist lang.
A Der Bauch ist dick.

U Die Hände sind groß.
E Die Arme sind dünn.
E Die Füße sind klein.

b) Schreib Sätze in dein Heft: Arnos Haare sind … Emils Nase …

8 Wem gehören die Sachen?

5–7 Schau die Bilder genau an. Schreib Sätze.

1 Das ist _______________ Mütze.

2 Das sind _______________

3 _______________

4 _______________

5 _______________

9 Viele Spielsachen

5–7 Such den Weg und schreib Sätze in dein Heft: Lillys Ball ist …

Verwende diese Wörter: alt, neu, schmutzig, kaputt, lang, klein.

Kennst du die Spielsachen noch? Die Purzelwörter helfen dir:

aBll • ffiSch • Aotu • eFginru • acheDnr • habesin nE

Lektion 22
Was ist denn los?

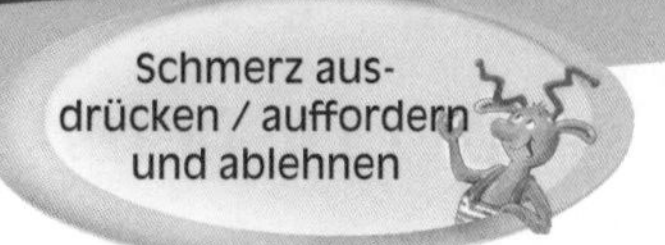

K

1 Was ist richtig?

1–2 Schreib die Buchstaben unten auf.

1	D	Meine Arme	tut weh.
	G	Meine Füße	
	B	Mein Kopf	

2	A	Meine Hände	tun weh.
	R	Meine Hand	
	E	Mein Bauch	

3	O	Meine Augen	tut weh.
	U	Meine Hand	
	I	Meine Beine	

4	N	Meine Nase	tun weh.
	C	Meine Ohren	
	P	Meine Hand	

5	K	Mein Hals	tun weh.
	T	Mein Zahn	
	H	Meine Füße	

Lösung: Mein B A U C H tut weh.
1 2 3 4 5

2 Au! Au!

1–2 Was sagen die Personen? Schreib in die Sprechblasen.

3 Labyrinth: Hallo, Vreni

3–4 Such die Geschichte. Findest du den Weg?

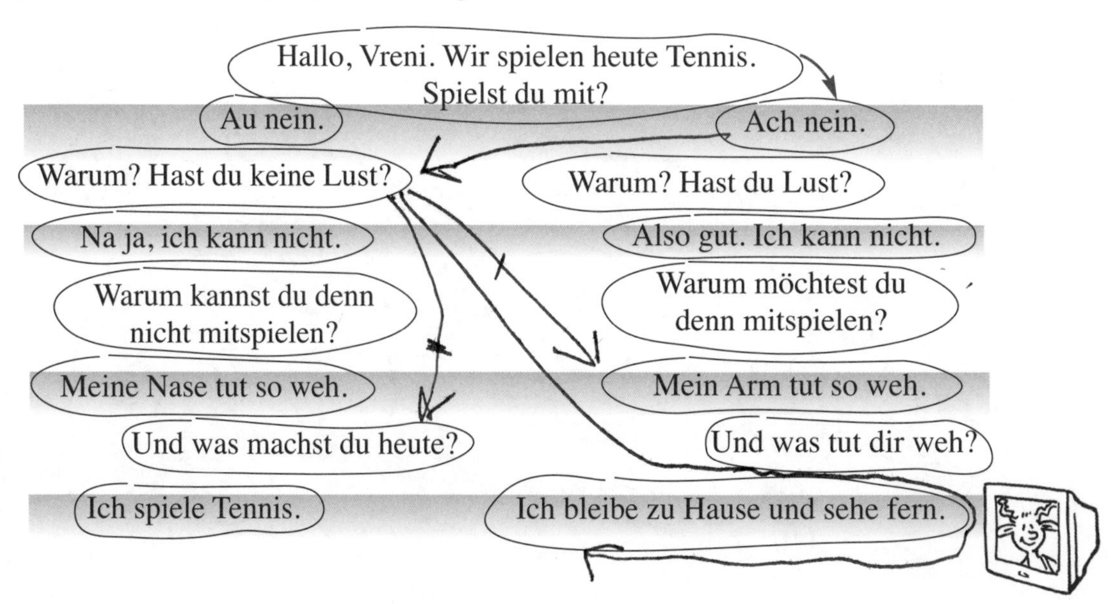

K

4 Was passt zusammen?

Schmerz ausdrücken / nach dem Befinden fragen

3 – 4 **a)** Verbinde die Sätze.

1	Ich kann heute nicht schwimmen.	**N**	Meine Hand tut weh.
2	Ich kann heute nicht reiten.	**R**	Meine Augen tun weh.
3	Ich kann heute nicht schreiben.	**G**	Meine Beine tun weh.
4	Ich kann heute nicht Fußball spielen.	**F**	Meine Arme tun weh.
5	Ich kann heute nicht singen.	**I**	Mein Po tut weh.
6	Ich kann heute nicht lesen.	**E**	Mein Hals tut weh.

Lösung:
Mein ___ ___ ___ ___ ___ ___ tut weh. Ich kann heute nicht ______________ spielen.
1 2 3 4 5 6

b) Schreib die passenden Sätze in dein Heft.

5 Ein Telefongespräch

5 **a)** Schau die Bilder in den Sprechblasen genau an. Was sagen die Kinder?
Spiel das Telefongespräch mit deinem Partner. Die Sätze helfen dir.

Hallo … Hier ist … Wir gehen heute … Kommst du mit? – Nein, ich kann … Ich bin … – Was hast du denn? Tut dein Kopf weh? – Nein. – Tun deine …?

b) Schreib das Telefongespräch in dein Heft.

6 E-Mail von Planetino

6 – 7 **a)** Ordne Planetinos E-Mail.
Schreib die Nummern.

Von: planetino@planetanien.weltall
An: steffi@planetino_zwei.de

Liebe Steffi!
___ Mir geht es gar nicht gut. ___ Und meine Antennen tun auch weh. ___ Ich kann nicht spielen und nicht Musik hören. ___ Ich bin schon zwei Tage im Bett. ___ Ich bin krank. ___ Meine Nase tut so weh. ___ Wie langweilig!
Viele Grüße, Dein Planetino

b) Schreib die E-Mail in dein Heft.

c) Du bist Steffi: Antworte Planetino. Schreib die E-Mail in dein Heft.

Lektion 23
Ich bin krank

sagen, was man nicht kann / krank sein

1 Domino

1 Verbinde die Dominosteine.

•	Ich kann nicht sprechen.
Der Würfel ist weg.	•
Deine Mama ist krank.	Pia kann nicht spielen.
Mein Ball ist kaputt.	Ina kann nicht gut malen.
Mein Hals tut weh.	Udo kann nicht lesen.
Der Pinsel ist alt.	Jan kann nicht basteln.
Die Brille ist weg.	Jens kann nicht Schi fahren.
Die Schier sind kaputt.	Ich kann nicht Fußball spielen.
Die Schere ist kaputt.	Du kannst nicht mitkommen.

K

2 Kreuzworträtsel

2–3 Löse das Rätsel.

1 Tina hat ✱. Sie sagt: „Mein Kopf tut so weh."

2 Der Arzt schreibt das ✱.

3 Jan ist krank. Der ✱ muss kommen.

4 Tina muss im Bett bleiben und ✱ nehmen.

5 Die Medizin gibt es in der ✱.

6 Tina ist krank. Sie muss im ✱ bleiben.

7 Tina kann nicht zur Schule gehen. Sie ist ✱.

8 Olaf kann nicht ✱. Er hat Halsschmerzen.

9 Ich kann nicht ✱. Meine Beine tun so weh.

10 Eva darf wieder aufstehen. Sie ist ganz ✱.

11 Gute ✱!

12 Pias Vater ist sehr krank. Er muss ins ✱.

Lerntipp zum Ankreuzen

Fass Wörter unter einem Thema zusammen.
Dann kannst du sie besser behalten.
Das Thema hier heißt: ___ krank sein.
___ spielen.

3 Schmerzen!

Schmerz ausdrücken

2–3 Ergänze die Sätze.

Timo sagt: Mein Bauch tut weh.

Ich habe Bauchschmertzen ✓.

Jonas sagt: Mein Hals tut weh.

Ich habe Halsschmertzen. ✓

Vera sagt: Mein Kopf tut weh.

Ich habe kopkshmertzen. ✓

Lisa sagt: Meine Ohren tun weh.

Ich habe ohren schmertzen. ✓

K

4 Suchbild

2–3 **a)** Lies die Aufgaben und such die passenden Wörter unten. Mal die Felder aus. Wenn du die richtigen Wörter gefunden hast, kannst du ein Bild sehen.

Mama, (1) ich fernsehen?
Uli ist krank. Er (2) im Bett bleiben.
(3) du ins Krankenhaus?
Du (4) nicht mitkommen. Schade!
Warum (5) du nicht kommen?
Ich (6) eine Medizin nehmen.
Jens (7) heute Skateboard fahren.
Eva (8) nicht fernsehen. Sie hat Kopfschmerzen.

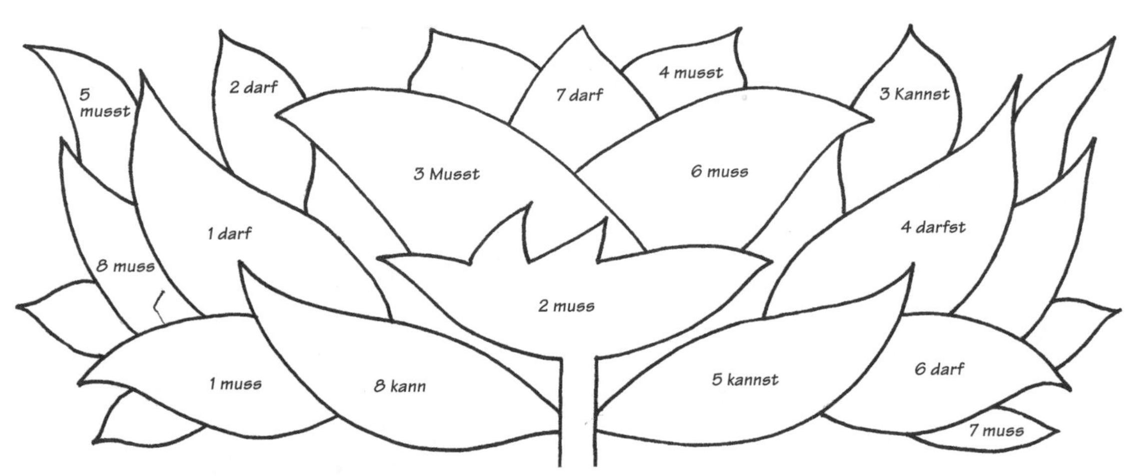

b) Schreib die Sätze richtig in dein Heft.

K

5 SMS

Lösung: Wer ist krank? ___ ___ ___ ___
1 2 3 4

2–3 **a)** Ordne die SMS-Kette.

I

N

Ich bin krank. Ich habe Halsschmerzen

T

A

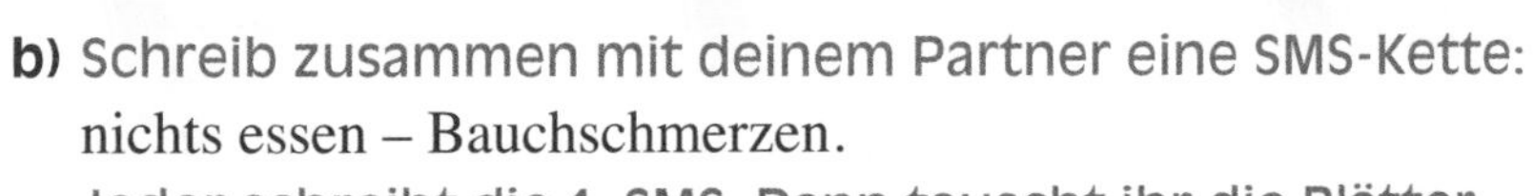

b) Schreib zusammen mit deinem Partner eine SMS-Kette:
nichts essen – Bauchschmerzen.
Jeder schreibt die 1. SMS. Dann tauscht ihr die Blätter.
Jeder schreibt die Antwort, dann wieder tauschen ...

K 6 Immer ich!

2-3 **a)** Ergänze die Sätze: **1** darf **2** darfst **3** muss **4** musst

Schreib nur die Zahlen in den Text. Manche Wörter kommen zweimal vor. Dann schreibst du die gleiche Zahl noch einmal.

● Tobias, du (a) ____ jetzt nicht fernsehen.

Du (b) ___ ins Bett.

▲ Ach, Mama! Warum (c) _3_ ich ins Bett?

Warum (d) ____ ich nicht fernsehen?

Max (e) ____ fernsehen!

Er (f) ____ nicht ins Bett.

● Dein Bruder ist auch schon 14 Jahre alt.

Rechenrätsel:

____ + ____ + ____ – ____ – ____ + ____ = 10
a b c d e f

b) Schreib die Geschichte richtig in dein Heft.

c) Schreib noch eine Geschichte: lesen – Schwester Lisa – 13 Jahre

7 Entschuldigungen

2-3

Jan kann nicht zur Schule gehen. Er hat Halsschmerzen und Ohrenschmerzen.
Er muss drei Tage zu Hause bleiben.
Mit freundlichen Grüßen
Elvira Schwarz

Nina kann heute nicht Basketball spielen. Sie muss zum Zahnarzt.
Viele Grüße Herbert Krüger

Olaf kann heute nicht Mathematik machen. Er hat Kopfschmerzen.
Gruß Paula Stein

a) Lies die Texte und beantworte die Fragen.

1 Wer hat Zahnschmerzen? ____________________

2 Wer ist krank? ____________________

3 Warum kann Olaf nicht Mathe machen? ____________________

b) Nach der Schule ruft Eva Jan an. Schreib das Telefongespräch in dein Heft. Die Sätze helfen dir: Hallo! – Wie geht's? – Was ist denn los? – Was hast du denn? – Musst du …? – Darfst du bald …?

Hunger und Durst

Essen und Trinken

K

1 Bilderlotto

➲ 1

Schneid aus (Seite 111) und leg auf.

Kaffee	Wasser	Milch
Tee	Brötchen	Limonade
Kakao	Eis	Schokolade
Saft	Obst	
Kuchen		

2 Wo sind die Wörter versteckt?

➲ 1

Such die Wörter aus Übung 1.

Q	R	E	I	L	I	M	O	N	A	D	E	S	R	E	T
K	A	F	F	E	E	I	H	C	K	A	K	A	O	I	E
S	C	H	O	K	O	L	A	D	E	U	V	X	B	S	E
V	T	U	B	K	U	C	H	E	N	W	A	S	S	E	R
O	B	R	Ö	T	C	H	E	N	J	S	A	F	T	L	N

3 Hunger oder Durst

➲ 2–3

Schreib die Wörter von Übung 1 und 2 in die beiden Wortsterne.

Kuchen ______ ______

Hunger (essen)

______ ______ ______

Kaffee ______ ______

Durst (trinken)

______ ______ ______ ______

K 4 Na so was!

3–4 **a)** Wohin gehören die Textteile? Schreib die Buchstaben links.

◆ Hallo, Anna.

✸ Hallo, Maria. Na, wie geht's?

K ◄

✸ Nichts.

◄

✸ Ja klar. Und vielleicht eine Tasse Tee?

◆ Ja gern.

✸ Also los!

◄

● Hier!

◄

● Ich esse.

◆ Ja schon. Aber der Kuchen!

● Ich habe so Hunger!

◄

✸ Ach das macht doch nichts, Maria.
Ich möchte nur Tee.

◄ CH ◆ Olaf! Ich bin zu Hause. Frau Weiß ist auch da. Olaf, wo bist du denn?

◄ E ◆ Hallo, Ooooo. Olaf, was machst du denn?

◄ K ◆ Gut, danke. Was machst du denn jetzt?

◄ N ◆ Aber Olaf!

◄ U ◆ Komm doch mit. Ich habe Kuchen zu Hause. Hast du Lust?

b) Schreib die Geschichte richtig in dein Heft.

5 Silbenrätsel

5 Ergänze die Sätze. Die Silben helfen dir.

an • ~~auf~~ • auf • aus • be • brin • chen • chen • den • es • fen • gen • hen • hen • ken • ken • mit • nen • ru • se • sen • ste • su • trin • ~~wa~~ • woh

1. Max schläft nicht mehr richtig. Aber er möchte auch nicht |auf|wa|______|.
   Er ist noch so müde.
2. Was möchtest du |______|______|? Ein Brötchen mit Honig oder Marmelade?
3. Meine Freunde |______|______| in der Schulstraße, Nummer 10. Das Haus ist sehr groß.
4. Morgen ist in der Schule eine Karnevalsparty. Paula möchte |______|______|______|.
   wie ein Clown.
5. Wo ist denn nur mein Handy? Ich muss doch Jana |______|______|______|.
6. Vera möchte heute nicht |______|______|______|. Sie ist noch so müde.
7. Frau Müller möchte eine Tasse Kaffee |______|______|. Hm, der Kaffee ist wunderbar!
8. Eva muss Mathe machen. Aber sie hat Kopfschmerzen und kann gar nicht |______|______|.
9. Ich möchte heute meine Freundin Pia |______|______|______|. Sie ist krank.
   Ich möchte Pia Kuchen oder Schokolade |______|______|______|.

Lektion 21-24
Weißt du das noch?

1 Mehrzahl

a) Mal das zweite Bildchen aus und wandle das Wort in die Mehrzahl um.

1  Freunde →  **Freunde** ebenso:  Tische  Hunde

2  Schwestern  **Schwestern** ebenso:  Katzen  Jungen

3 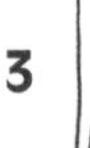 Pullis  **Pullis**  ebenso:  Autos  Handys

4  Röcke  **Röcke** ebenso:  Stühle  Bälle

5 Hier bleibt die Mehrzahl gleich:
ein Pinsel → zwei Pinsel, ein Lehrer → zwei ______________,
ein Mädchen → zwei ______________

b) Schreib weitere Wörter in Einzahl und Mehrzahl in dein Heft:

wie 1: Heft, Spiel, Schiff, Bleistift
wie 2: Farbe, Tasche, Tafel, Schere
wie 3: Foto, Baby, Zebra, Radiergummi
wie 4: Schrank, Block, Rucksack, Fuß
wie 5: Fenster, Schüler, Spitzer, Computer

2 Was machen wir?

a) Was gehört zusammen? Schreib die Zahlen zu den Bildern.

 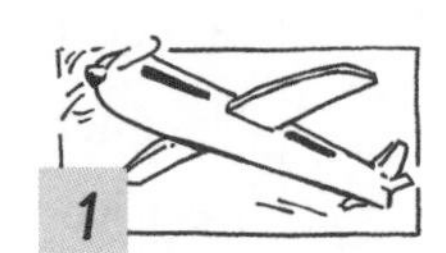   

	1 fliegen	2 kommen	3 tanzen	4 schlafen	5 fernsehen
ich					sehe fern
du		kommst		schläfst	
er/es/sie	fliegt		tanzt		sieht fern
wir		kommen			
ihr	fliegt			schlaft	
sie/viele			tanzen		sehen fern

b) Ergänze die Tabelle.

c) Schreib zehn Sätze mit den Wörtern aus der Tabelle in dein Heft. Verwende auch diese Wörter: nicht, gern, nicht gern, heute, gut, viel, immer, manchmal, bald, jetzt.

Wortliste

_________: Hier kannst du *der, das, die* eintragen.

_ _ _ _ _ _: Hier kannst du die Mehrzahl eintragen.

Themenkreis
Was tut denn weh?

Kursbuch Seite 5

Hals, ______, Hälse
weh
wehtun
helfen
Zahn, ______, _ _ _ _ _ _ _ _
holen
Zahnarzt, der, Zahnärzte
mal
sehen
lassen
Lass mal sehen!
gleich (= sofort)
Das haben wir gleich!
warten
Warte mal!

Lektion 21: Kopf, Bauch und so weiter

Kursbuch Seite 6–8

Gesicht, ______, Gesichter
Auge, ______, _ _ _ _ _ _ _ _
Ohr, ______, _ _ _ _ _ _ _ _
Bauch, ______, Bäuche
Bein, ______, _ _ _ _ _ _ _ _
Fuß, ______, _ _ _ _ _ _ _ _
Nase, ______, Nasen
Kopf, ______, Köpfe
Haar, das, _ _ _ _ _ _ _ _
Mund, ______, Münder
Arm, ______, _ _ _ _ _ _ _ _
Hand, ______, _ _ _ _ _ _ _ _
Finger, ______, _ _ _ _ _ _ _ _
Po, ______, Pos
so
Karneval, der (Einzahl)
lernen
Farbe, die, Farben
zuerst

Lektion 22: Was ist denn los?

Kursbuch Seite 9–10

schwimmen
bleiben
reiten
krank
Bett, das, Betten
gut
Mir geht es gut.
Moment, der, Momente
wieder
gesund

Lektion 23: Ich bin krank

Kursbuch Seite 11–12

Arzt, der, Ärzte
Doktor, der (Einzahl)
Wie geht's?
Krankenhaus, das, Krankenhäuser
Kopfschmerzen, die (Mehrzahl)
müssen
Apotheke, die, Apotheken
bald
schnell
gesund werden
Medizin, die (Einzahl)
Rezept, das, Rezepte
Gute Besserung!
Ohrenschmerzen, die (Mehrzahl)
essen
nämlich
Halsschmerzen, die (Mehrzahl)
Tee, der (Einzahl)
trinken

Lektion 24: Hunger und Durst

Kursbuch Seite 13–15

Hunger, der (Einzahl)
Durst, der (Einzahl)
Kuchen, ______, Kuchen
Lolli, ______, Lollis
Kaffee, ______ (Einzahl)
Kakao, ______ (Einzahl)
Eis, ______ (Einzahl)
Obst, ______ (Einzahl)
Saft, ______, Säfte
Wasser, ______ (Einzahl)
Limonade, ______ (Einzahl)
Limo, ______ (Einzahl)
Brötchen, ______, Brötchen
Schokolade, ______ (Einzahl)
Milch, ______ (Einzahl)
besuchen
morgen
mitbringen
Honig, der (Einzahl)
Marmelade, die (Einzahl)
Tasse, ______, Tassen
wohnen
alle
Haus, das, Häuser
aussehen
Straße, die, Straßen
Nummer, die, Nummern
jeder/jedes/jede
aufstehen
aufwachen
denken
wunderbar

Das habe ich gelernt

hier falten

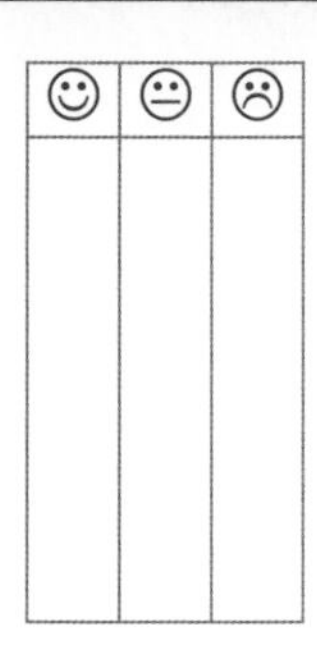

Personen beschreiben

Arbeitsblatt	Lösung
Wie ist ______ ?	Wie ist dein Mund?
Mein Mund ist ______	groß, klein, dick, dünn, lang, kurz
Die Beine sind ______	
______	

fragen, wie es geht – Schmerzen

Arbeitsblatt	Lösung
Wie geht's? – Mir geht es gut. /	Wie geht's? Mir geht es gut. /
Es geht.	Es geht.
Mir geht es gar ______	Mir geht es gar nicht gut.
Ich bin ______	Ich bin krank/gesund.

Arbeitsblatt	Lösung
Hast du ______ ?	Hast du Schmerzen?
Ich habe Halsschmerzen, ______	Ich habe Halsschmerzen, Kopfschmerzen, Ohrenschmerzen,
______	
______	

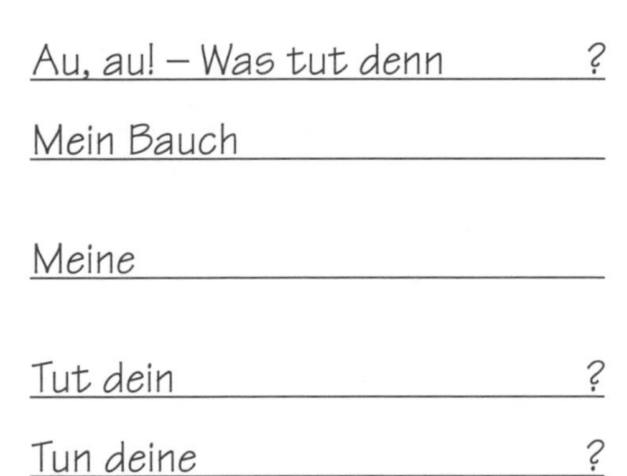

Arbeitsblatt	Lösung
Au, au! – Was tut denn ______ ?	Au, au! – Was tut denn weh?
Mein Bauch ______	Mein Bauch tut so weh.
Meine ______	Meine Ohren tun so weh.
Tut dein ______ ?	Tut dein Zahn weh?
Tun deine ______ ?	Tun deine Ohren weh?

krank sein

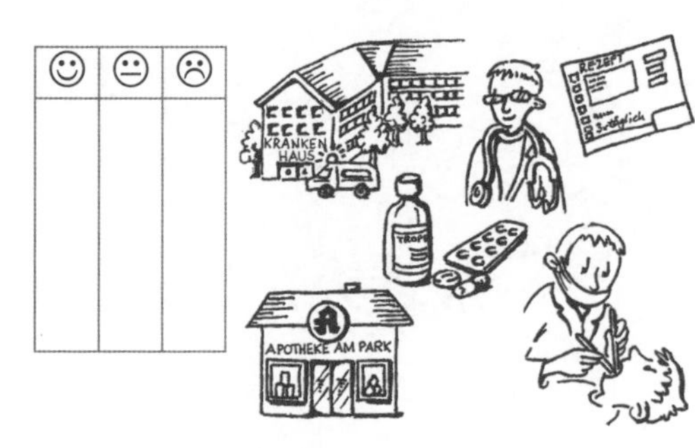

Arbeitsblatt	Lösung
Arzt, ______	Arzt, Zahnarzt, Apotheke, Rezept, Medizin, Krankenhaus
______	
______	

hier falten

auffordern und ablehnen

		☺	😐	☹
Wir spielen heute. Kommst du auch mit?	Wir spielen heute. Kommst du ______ ?			
Möchtest du mitkommen?	______ ?			
Hast du Lust?	Hast du ______ ?			
Tut mir leid. Ich kann nicht.	Tut mir ______ . Ich kann ______			
Ich kann nicht kommen.	Ich ______ nicht kommen.			
Ich habe keine Lust.	Ich ______ keine ______			
Ich weiß nicht.	Ich weiß ______			
Wie langweilig! Schade.	Wie ______ ! Schade.			

Körperteile

Kopf, Mund, Zahn, Hals, Arm, Bauch, Po, Fuß, Finger, Gesicht, Auge, Ohr, Bein, Nase, Hand

Kopf, Mund, ______

☺ 😐 ☹

Essen und Trinken

Kuchen, Lolli, Eis, Obst, Brötchen, Schokolade, Saft, Tee, Kaffee, Kakao, Wasser, Milch, Limonade

Kuchen, ______

☺ 😐 ☹

Grammatik-Comic

1 Ergänze: darf/darfst • kann/kannst • muss/musst • möchte/möchtest

ich	darf			möchte
du		kannst		
er, es, sie			muss	

2 Schreib die passenden Wörter von oben an die richtige Stelle im Comic.

Zirkus! Zirkus!

Du kennst schon viele deutsche Wörter und Sätze.

Uhrzeit

Wie ______________________ ?

____

____

können

Jan spielt __________ gut ______________________

____

auffordern

Setz ______________________ !

______________________ !

Mach ______________________ !

Gib ______________________ her!

beschreiben

groß, ______________________

____

lieb, ______________________

was Tiere machen

LORA

____

____

Wochentage

MO	Di	Mi	DO	FR	SA	SO

____

____

____

Familie

Vater, ______________________

____

Zahlen

17

14

zwölf, ______________________

____

____

____

Lektion 25

Was machst du am Wochenende?

Wochentage

1 Kreuzworträtsel: Wochentage

1–2 Schreib die Wochentage an die richtige Stelle:

Freitag, Dienstag, Samstag, Mittwoch, Sonntag, Montag, Donnerstag

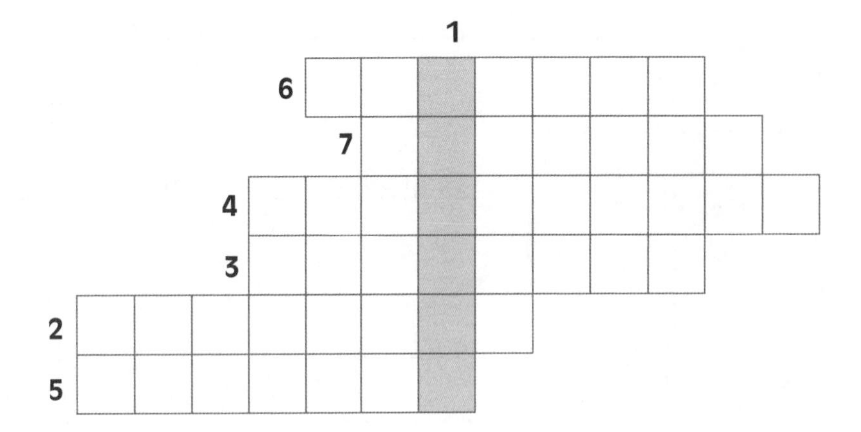

2 Planetinos Woche

1–2 **a)** Schau Planetinos Wochenplan an und beantworte die Fragen.

Möntög	Döönstög	Möttwöch	Dönnörstög	Fröötög	Sömstög	Sönntög
					Wöchönöndö	

Was macht Planetino am Dienstag? – Er lernt Mathe.

Was macht er am Sonntag? – Er sieht

Was macht er am Montag? – ______

Was macht er am Donnerstag? – ______

Was macht er am Samstag? – ______

Was macht er am Mittwoch? – ______

Was macht er am Freitag? – ______

b) Schreib Sätze in dein Heft: Planetino reitet am … Er lernt am … Mathe. …

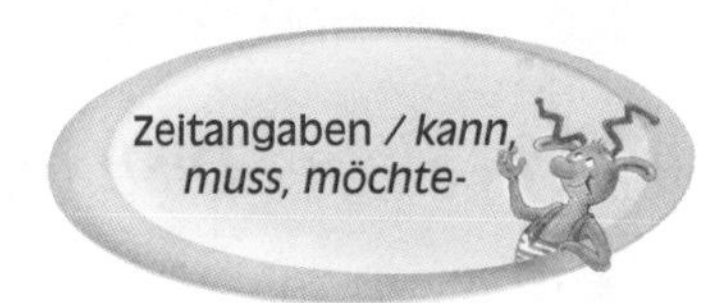

K 3 Was ist richtig?

2 a) Schreib die Buchstaben unten auf.

1	CH	Ich	muss	morgen in den Zirkus.
	SCH		möchte	
	AU		kann	

3	T	Warum	musst	du denn nicht?
	K		möchtest	
	D		kannst	

2	A	Ich	kann	leider nicht mitkommen.
	O		muss	
	E		möchte	

4	N	Ich	möchte	lernen.
	E		muss	
	R		kann	

b) Schreib die richtigen Sätze in dein Heft. Dann entsteht eine kleine Geschichte. Die Lösung passt dazu.

Lösung: ___ ___ ___ ___
1 2 3 4

4 Was machen die Kinder?

2 Schau die Bilder an und schreib Sätze in dein Heft:

Lilly sieht um … fern. Steffi isst …

fernsehen

essen

Volleyball spielen

Musik hören

Tee trinken

lernen

Mia

Uli

Lilly

Timo

Steffi

Marek

K 5 Was passt zusammen?

3–4 a) Ordne die Antworten den Fragen zu.

1 Wann kommst du?
2 Um wie viel Uhr fängt der Film an?
3 Was machst du am Wochenende?
4 Hast du den Film auf Video?
5 Warum kannst du nicht mitmachen?
6 Die Bibliothek ist offen. Kommst du mit?
7 Wann kommt der Zirkus?

L Ich bin krank.
S Ich kann leider gar nicht kommen.
N Am Freitag.
P Um drei.
E Nein, ich lese nicht so gern.
E Nein, auf DVD.
I Am Samstag Karate und am Sonntag Volleyball.

Lösung: S ___ ___ ___ ___ ___ ___
1 2 3 4 5 6 7

b) Schreib die Fragen und die passenden Antworten in dein Heft.

6 Drei kleine Dialoge

➲ 3

Finde drei kleine Dialoge. Jeder Dialog hat drei Teile.
Schreib die Dialoge in dein Heft.

◯ Morgen um drei. — (A) Um wie viel Uhr fängt der Film an? — (B) Ich habe heute Karate.
◯ Der Film? Um zwei. — (C) Wann spielt ihr denn Volleyball?
◯ Gut, ich mache mit. — ◯ Wann denn? — ◯ Um eins.
◯ Was? Schon um zwei? Jetzt aber schnell!

7 Schau genau!

➲ 4

a) Heute ist Montag. Lies den Wochenplan und die SMS-Nachrichten. Findest du den Fehler?

Mo	*sechs Uhr Schwimmen*
Di	*vier Uhr Karate*
Mi	*zwei Uhr Basketball*
Do	*fünf Uhr Volleyball*
Fr	*sieben Uhr Zirkus*
Sa	*ein Uhr Tennis*
So	*elf Uhr Reiten*

1

2

3

Wir spielen am Samstag um eins Tennis. Spielst du mit?

4

5

6

7

b) Schreib fünf Fragen für deinen Partner. Beispiel:

Wann ist Volleyball? ______________________.
Und um wie viel Uhr? ______________________

Tauscht die Blätter und schreibt die Antworten.

c) Schreib die SMS Nummer 5 noch einmal. Schreib auch eine SMS-Antwort.

8 Zettel am Schwarzen Brett

➲ 4

Heute Volleyball um zwei Uhr. Nicht um eins!

Am Freitag um 12 Uhr Theatervorstellung der 4a in der Turnhalle

Karate am Dienstag. Heute nicht !!!! Der Sportlehrer ist krank.

Achtung! Basketball fängt morgen schon um drei Uhr an.

Schreib Fragen: Wann? Um wie viel Uhr? Warum? Wer?

1 Tiere

1 a) Schreib die Wörter an die richtige Stelle.

Löwe • Tiger • Pferd • Affe • Bär • Elefant

1 __ __ f __ 2 __ __ r 3 __ __ __ __ r 4 __ f __ __ __

5 __ __ e __ __ __ __ 6 __ __ __ e

b) Schreib die Nummern von Aufgabe a zu den Bildern.

K

2 Tante Ida und Onkel Max

2 a) Lies die Geschichte und schau das Bild an. Welcher Satz aus der Geschichte passt zum Bild? Unterstreich.

Es ist vier Uhr. Familie Weber ist zu Hause. Alle (1) am Tisch. Es (2) Kaffee und Kuchen. Da kommen Tante Ida und (3) Max. „O je, Tante Ida!“, sagt Ivo. „Pst“, sagt der Vater, „wir (4) nett sein.“ „Hallo, Ida. Komm rein!“, sagt die Mutter. „Hallo, Max.“ „Oh, Kuchen“, sagt Onkel Max. „Ach, das ist ja nur Obstkuchen“, sagt Tante Ida. „Am (5) esse ich ja Schokoladekuchen. (6) ihr Frau Löwenzahn? Löwenzahn, was für ein (7)! Aber das macht nichts. Frau Löwenzahn macht einen Schokoladekuchen! Wunderbar! Ich gehe (8) zu Frau Löwenzahn. Ich habe ja leider wenig (9). Ich muss ja so viel (10). Es ist wirklich nicht (11). Na ja. – Na gut. Dann muss ich doch Obstkuchen essen. Was? Nur zwei Stück? Gibt es nicht (12)?“ Tante Ida isst und isst: zwei Stück, drei, vier, fünf ... Dann ist der Kuchen weg. Tante Ida sagt: „Komm, Max, wir gehen.“
Und schon sind auch Tante und Onkel weg. „Tante Ida ist (13) komisch“, denkt Ivo.

b) Jede Nummer im Text ist ein Wort. Hier sind die Wörter. Schreib die Nummern. Richtig? Zähl die Zahlen zusammen.

____ sitzen	____ Kennt	____ Onkel	____ liebsten
+ ____ müssen	+ ____ gibt	+ ____ Name	+ ____ einfach
+ ____ arbeiten	+ ____ mehr	+ ____ Freizeit	+ ____ manchmal
			+ ____ wirklich
= 15	= 20	= 19	= 37

c) Schreib die Geschichte richtig in dein Heft.

3 Was gehört zusammen?

➲ 2

Ergänze. Such die passenden Wörter unten.
⚠ Achtung! Nicht alle Wörter passen.

Mann / Junge	Frau / Mädchen
Vater	
	Schwester
Opa	
	Tante
Cousin	

Eltern • Mutter • Onkel • Oma • Kusine • Großeltern • Bruder

4 Wer ist das?

➲ 2

Ergänze die Sätze.

1 Mamas Bruder ist mein ______________________________.

2 Papas Schwester ist meine ____________________________

3 Mamas Mutter ist ___________________________________

4 Papas Vater ist _____________________________________

5 Mutters Eltern sind _________________________________

6 Vaters Eltern sind __________________________________

7 Eva ist meine Kusine. Evas Bruder ist ______________________________

5 Purzelsätze

➲ 2

Schreib die Sätze richtig in dein Heft.

1 Fußball – möchten – spielen – Die Kinder – morgen
2 helfen – Wir – am Samstag – müssen
3 möchten – sehen – Wir – die – Clowns
4 besuchen – Meine Eltern – die Großeltern – möchten
5 nicht – lernen – möchten – heute – Wir
6 um sechs Uhr – aufstehen – müssen – jeden Morgen – Wir

Lektion 27
Herzlich willkommen im Zirkus!

1 Na so was!

1 Schneid aus und kleb ein (Seite 111) oder schreib.

2 Drei Sätze

1 Findest du drei Sätze? Schreib sie an die richtige Stelle.

Bist • Komm • du • Ich • müde • nicht • rein • rechne • gern

____ !

____ .

____ ?

3 Zahlen bis hundert

2-3 Lies die Zahlen und mach Pfeile.

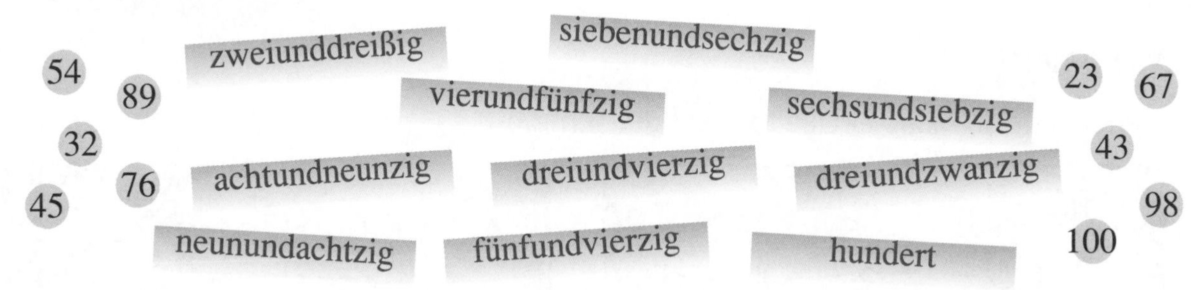

K 4 Suchbild

2-3 Lies die Zahlen. Nun such die gleichen Zahlen im Bild. Mal die Felder aus.

dreiundsiebzig • sechsundvierzig • siebenundfünfzig • zweiundachtzig • dreiundneunzig • fünfundsechzig • neunundvierzig • vierundzwanzig • achtunddreißig

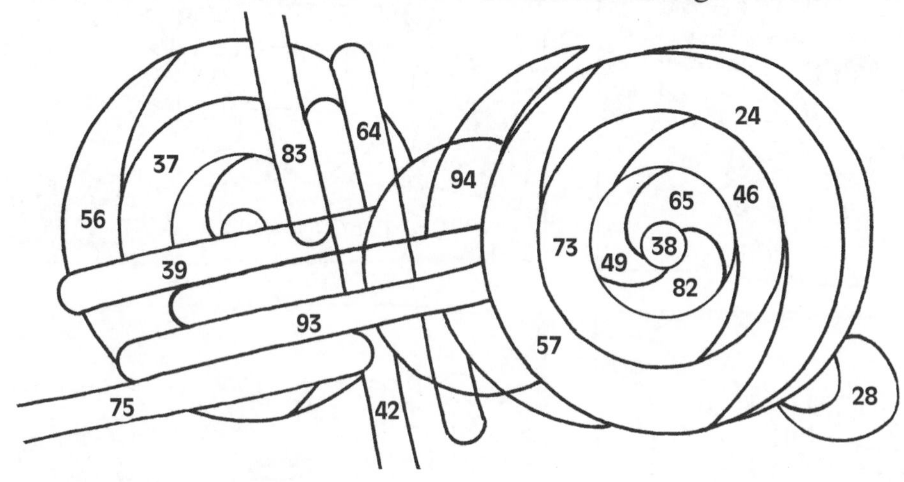

Lerntipp zum Ausfüllen

Vergiss nicht:
Die Zahlen spricht man so:
erst die Einer, dann die Zehner.
Beispiel 23: erst ___
dann ___

K 5 Wie alt sind sie?

2-3 Was ist richtig? Mach Kreuzchen [x]. Dann rechne.

1 Meine Oma ist
- fünfzehn. ☐
- fünfundzwanzig. ☐
- zweiundfünfzig. ☐

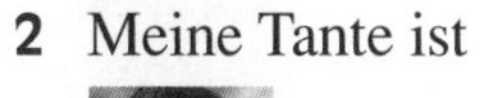
2 Meine Tante ist

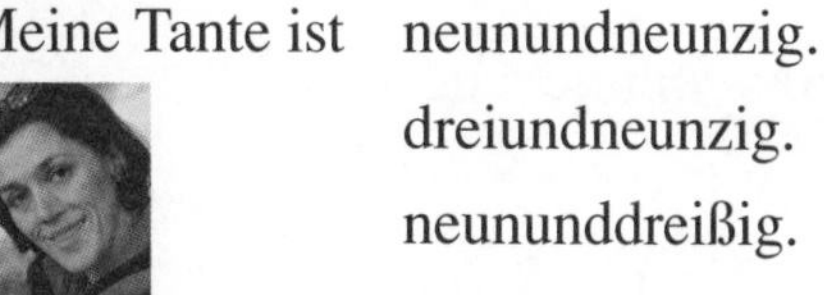
- neunundneunzig. ☐
- dreiundneunzig. ☐
- neununddreißig. ☐

3 Mein Onkel ist

- achtundvierzig. ☐
- vierundachtzig. ☐
- achtundzwanzig. ☐

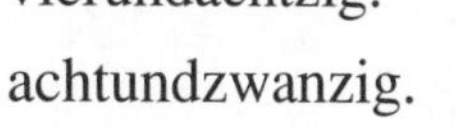

4 Mein Cousin ist
- dreizehn. ☐
- dreiundzwanzig. ☐
- dreiunddreißig. ☐

5 Meine Kusinen sind

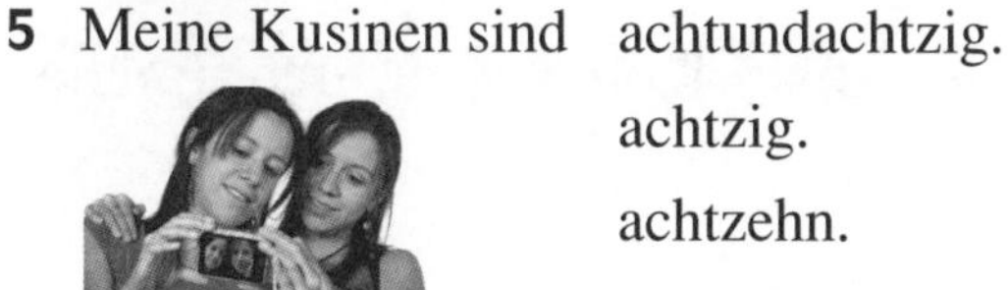
- achtundachtzig. ☐
- achtzig. ☐
- achtzehn. ☐

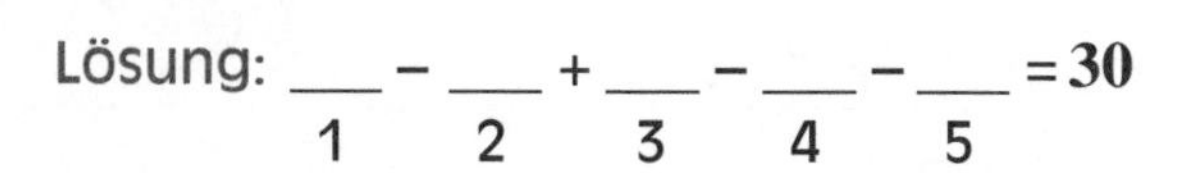

Lösung: ___ – ___ + ___ – ___ – ___ = 30
(1, 2, 3, 4, 5)

ich-Laut bei -ig / Können ausdrücken

6 Ein Zahlenspiel

4 **a)** Setz ein: *-ig* oder *-ich*.

- ◆ Ich möchte spielen.
- ▲ Also los. Siebz____ plus zwanz______ ist neunz_____.
- ◆ Fünfz____ plus dreiß____ ist achtz____.
- ▲ ______ habe gewonnen.
- ◆ Das ist n____t r_____tig.
- ▲ Doch, das ist richt_____.
- ◆ Das Spiel ist langweil_____.
- ▲ Du bist wirkl____ komisch.
- ◆ Lass m____ in Ruhe.

b) Du liest einen Satz vor. Dein Partner schreibt. Achtung! Aussprache beachten!

7 Domino

5 **a)** Verbinde die Dominosteine.

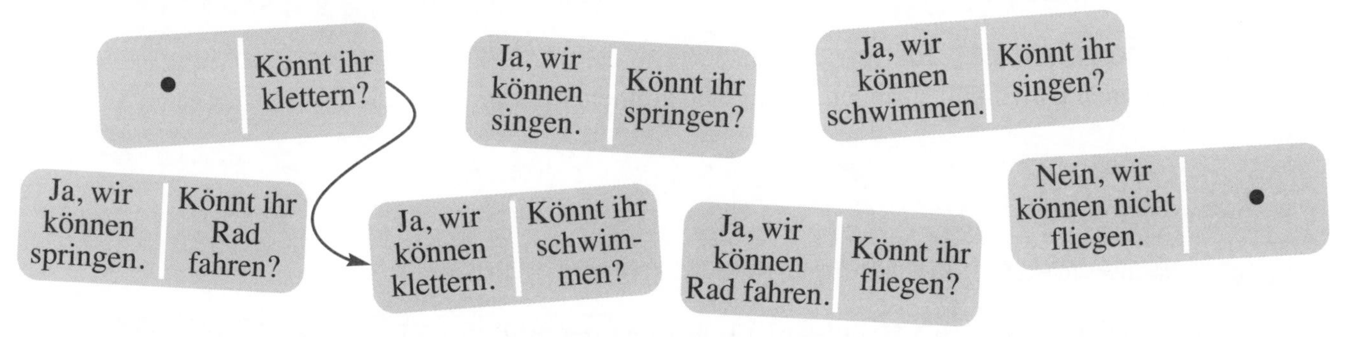

b) Schreib die Fragen und Antworten aus dem Domino in dein Heft. Ergänze die Antworten. Verwende diese Satzteile: wie ein Affe/Vogel/Akrobat, wie eine Katze/Robbe.
Schreib so: Könnt ihr klettern? – Ja, wir können klettern wie ein Affe.

8 Was könnt ihr denn?

5 **a)** Setz ein: *kann – kannst – können – könnt*.

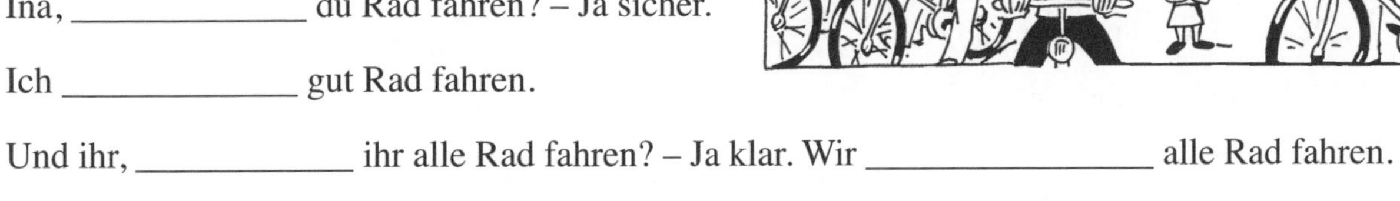

Ina, ______________ du Rad fahren? – Ja sicher.

Ich ______________ gut Rad fahren.

Und ihr, ______________ ihr alle Rad fahren? – Ja klar. Wir ________________ alle Rad fahren.

Nicht alle! Meine Schwester ________________ noch nicht Rad fahren. Sie ist noch sehr klein.

b) Schreib so eine Geschichte in dein Heft: …, kannst du schwimmen? …

Lektion 28
In der Pause

Können ausdrücken / Tätigkeiten von Tieren beschreiben

1 Ja oder nein?

1 **a)** Sind die Sätze richtig? Mach Kreuzchen [x] bei „Ja". Sind die Sätze falsch? [x] bei „Nein".

	Ja	Nein
Elefanten können klettern.		
Hunde können schwimmen.		
Affen können laufen.		
Bären können singen.		
Robben können fliegen.		
Katzen können Rad fahren.		
Papageien können sprechen.		

b) Schreib die Sätze richtig in dein Heft: Elefanten können nicht …

c) Was können die Tiere? Überleg zusammen mit deinem Partner und schreib auf:
Pferde können laufen und springen. Papageien können klettern … und ….

2 Kreuzwortgitter

1–2 **a)** Schreib die Wörter an die richtige Stelle im Kreuzwortgitter.

~~freundlich~~ • herzlich • intelligent • lieb • lustig • müde • nett • schnell • süß • toll

b) Schreib die Sätze in dein Heft. Verwende die Wörter aus dem Kreuzwortgitter.

1 Elefanten sind sehr ✱.
2 Der Clown ist ✱.
3 Pferde können ✱ laufen.
4 Ist das Baby nicht ✱?
5 Deine Eltern sind sehr ✱.
6 Meine Lehrerin ist ✱.
7 Bist du ✱?
8 Ich finde den Pulli ✱.
9 Meine Katze ist ✱.
10 ✱ Willkommen!

beschreiben / *ihn, es, sie*

K

3 Was ist richtig?

2 Schreib die Zahlen unten auf. Rechenrätsel.

a) Das Löwenbaby ist so lieb.

Ich finde	ihn	so süß.	5
	es		6
	sie		7

b) Ich finde, der Löwe ist super.

Wie findest du	ihn	denn?	2
	es		3
	sie		4

c) Ich finde die Robben super.

Findest du	ihn	auch toll?	6
	es		7
	sie		8

d) Frau Müller ist doch freundlich, oder?

Ja, ich finde	ihn	auch sehr nett.	3
	es		5
	sie		4

e) Der Clown ist ja lustig.

Ich finde	ihn	doof.	3
	es		1
	sie		7

f) Wie findest du die Akrobaten?

Ich finde	ihn	super.	6
	es		2
	sie		1

g) Das Pferd sieht gar nicht nett aus.

Ich finde	ihn	auch nicht nett.	2
	es		5
	sie		8

Lösung:

___ – ___ + ___ + ___ + ___ + ___ – ___ = 15
a b c d e f g

4 Tiere!

2 **a)** Schneid aus und kleb ein (Seite 111) oder schreib.

Sieh mal. __________ ist ja nett. Findest du nicht auch?

Ja. _________ finde ich auch total nett.

Also, ich finde _________ süß. Und so klein!

Wie bitte? Klein?

Na ja, _________ Affe. __________ ist doch klein.

Ach so, _________ Affe. Nein, _________ Bär da!

____________ finde ich so nett.

b) Schreib selbst weitere Geschichten:

toll – super – dick – Elefant – Tiger
lieb – süß – klein – Affenbaby – Pferd
lustig – nett – groß – Robbe – Katze
schön – süß – klein – Löwenbabys – Löwen

5 Was möchte ich? Was kann ich?

3–4 **a)** Ergänze die Tabelle.

ich	möchte		lesen
du			Tennis spielen
er/sie/Jan/das Kind		kann	klettern
wir		können	Rad fahren
ihr	möchtet		rechnen
sie/die Kinder			tanzen

b) Schreib Sätze in dein Heft. Beispiel: Ich möchte heute Tennis spielen. Ich kann gut Tennis spielen. …

6 Drei kleine Dialoge

4 Finde drei kleine Dialoge. Jeder Dialog hat drei Teile. Schreib sie in dein Heft.

A Was möchtest du denn?
B Was möchtet ihr denn?
◯ Bitte ein Eis.
C Bitte, was kostet eine Schokolade?
◯ Bitte einmal Saft und einmal Limo.
◯ Schokolade? Die da? Ein Euro fünfzig.
◯ Das macht ein Euro sechzig.
◯ Neunzig Cent plus achtzig. Das macht zusammen ein Euro siebzig.
◯ Wir möchten zwei, bitte. Mein Bruder möchte nämlich auch eine.

7 eu

5 Schreib die Wörter an die richtige Stelle.

Euro • Flugzeug • Freunde • freundlich • Heute • Leute • neun • neunzehn

H | eu | te sind _ |___| _ _ _ _ _ _ _ _ |___| _ _ _ da.

Die _ |___| _ _ sind _ _ |___| _ _ _ _ _ _ _ _.

Das _ _ _ _ _ _ |___| _ kostet _ |___| _ _ |___| _ _.

8 SMS

6 **a)** Schreib die SMS in dein Heft. Ergänze „müssen" in der richtigen Form.

b) Schreib zu jeder SMS eine Antwort.

Lektion 25-28
Weißt du das noch?

1 Mehrzahl

Mal das zweite Bildchen aus und wandle das Wort in die Mehrzahl um.

 Figuren  Figur**en** ebenso:  Hemden  Türen

 Kleider  Kleid**er** ebenso:  Kinder

Brüder Brüder ebenso:  Mäntel  Malkästen

 Bücher  Büch**er** ebenso:  Häuser  Fahrräder

 Freundinnen  Freundin**nen** ebenso:  Lehrerinnen

2 Was machen wir?

a) Ergänze die Tabelle.

	machen	essen	sprechen	laufen	fahren
ich	mache		spreche		fahre
du		isst		läufst	
er/es/sie			spricht		fährt
wir		essen		laufen	
ihr	macht		sprecht		
sie/viele					fahren

b) Schreib zehn Sätze mit den Wörtern aus der Tabelle in dein Heft. Verwende auch diese Wörter: Obst, Karate, Rad, schnell, wie ein Papagei.

3 Eine kleine Geschichte

Finde drei Sätze. Die Sätze ergeben eine kleine Geschichte. Schreib sie in dein Heft.

Tut leid, ich den
Wo ist Bleistift? du
den Bleistift?
habe der Hast Füller. mir

______: Hier kannst du *der, das, die* eintragen.

- - - - - -: Hier kannst du die Mehrzahl eintragen.

Themenkreis Zirkus, Zirkus!

Kursbuch Seite 17

Zirkus, der, Zirkusse
vergessen
um
Uhr (= Uhrzeit), die (Einzahl)
um drei Uhr
glauben

Lektion 25: Was machst du am Wochenende?

Kursbuch Seite 18–19

Wochenende, das, Wochenenden
Montag, der, Montage
Dienstag, der, Dienstage
Mittwoch, der, Mittwoche
Donnerstag, der, Donnerstage
Freitag, der, Freitage
Samstag, der, Samstage
Sonntag, der, Sonntage
am
am Montag
Film, der, Filme
mitkommen
Programm, das, Programme
Video, das, Videos
DVD, die, DVDs
mitmachen
anfangen
Bibliothek, die, Bibliotheken
leider
Karate, das (Einzahl)
Volleyball (als Spiel)
Wann?
Wie viel?
Um wie viel Uhr?

Lektion 26: Der Zirkus kommt

Kursbuch Seite 20–21

Leute, die (Mehrzahl)
Tier, das, Tiere
Akrobat, der, Akrobaten
Clown, der, - - - - - - - -
Löwe, der, - - - - - - - -
Tiger, der, - - - - - - - -
Pferd, das, - - - - - - - -
Affe, ______, - - - - - - - -
Bär, der, - - - - - - - -
Elefant, ______, - - - - - - - -
mehr
wirklich
kennen
Name, der, Namen
Direktor, der, Direktoren
arbeiten
Onkel, ______, Onkel
manchmal
am liebsten
es gibt
Tante, ______, Tanten
Cousin, ______, Cousins
Kusine, ______, Kusinen
Freizeit, die (Einzahl)
einfach
Opa, ______, Opas
Oma, ______, Omas
sitzen
Großeltern, die (Mehrzahl)
Großmutter, ______, Großmütter
Großvater, ______, Großväter
Mann, der, Männer

Lektion 27: Herzlich willkommen im Zirkus!

Kursbuch Seite 22–24

herzlich
willkommen
Herzlich willkommen!
intelligent
springen
Papagei, ______, - - - - - - - -
sagen
müde
Achtung, die (Einzahl)
üben
einundzwanzig
zweiundzwanzig
dreiundzwanzig
vierundzwanzig
fünfundzwanzig
sechsundzwanzig
siebenundzwanzig
achtundzwanzig
neunundzwanzig
dreißig
vierzig
fünfzig
sechzig
siebzig
achtzig
neunzig
(ein)hundert
wie
zeigen
Zeig doch mal!
klettern
Vogel, der, - - - - - - - -
Robbe, ______, - - - - - - - -

Lektion 28: In der Pause

Kursbuch Seite 25–27

Pause, die, Pausen
lustig
lieb
freundlich
Angst, die, Ängste
Angst haben
kosten
Was kostet das?
Anfang, der, Anfänge
Rolle, die, Rollen
beginnen
Stadt, die, Städte
dort
normal
Hobby, das, Hobbys
Nachmittag, der, Nachmittage
am Nachmittag
egal
nächste
Woche, die, Wochen
kennenlernen
mögen
man
eigentlich
Arbeit, die, Arbeiten

Das habe ich gelernt

hier falten

Zeitangaben machen

_______ spielst du Basketball?

Am _______

um _______

Wann spielst du Basketball?

Am Sonntag
um zehn Uhr.

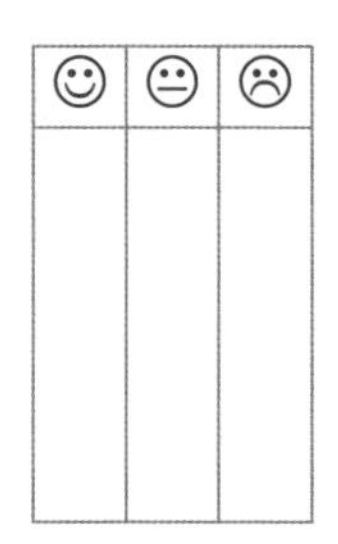

Können ausdrücken

Ich _______ gut _______

____

wie _______

Ich kann gut Rad fahren.

Ich kann Rad fahren wie ein Akrobat.

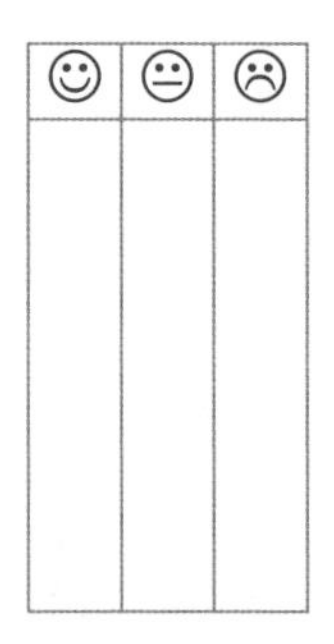

auffordern

Cäsar, _______ !

Rudi, _______ !

Fips, _______

_______ !

Cäsar, spring!

Rudi, lauf!

Fips, gib den Hut her!

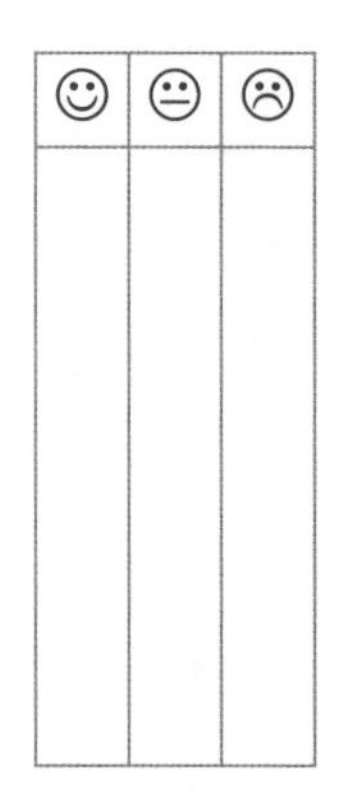

einkaufen

Was _______ ?

Bitte einmal _______ .

Was _______ das?

Das _______

____

Was möchtest du?

Bitte einmal Limo.

Was kostet das?

Das macht

zwei Euro.

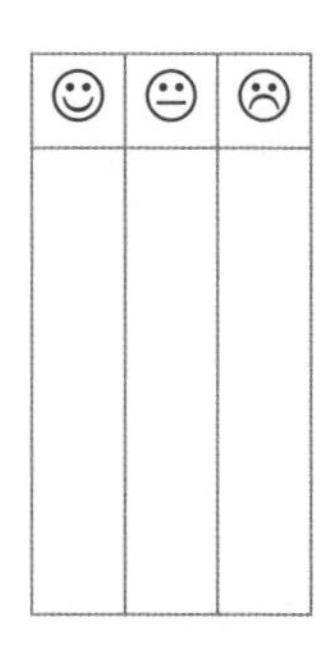

Wochentage

Montag, _______

____

____

____

Montag, Dienstag,
Mittwoch,
Donnerstag, Freitag,
Samstag, Sonntag

hier falten

Tiere beschreiben

Sieh mal, der Elefant!
Der ist aber groß.
Die Robben sind doch lustig.
groß, klein, dick, dünn
total lieb, freundlich
süß, nett, schön

Sieh mal, ______
Der ______ aber ______
Die Robben ______ doch ______
groß, ______, dick, ______
total lieb, ______
______

☺	😐	☹

Tätigkeiten von Tieren

klettern, laufen, schwimmen, sprechen, fliegen, singen, springen

klettern, ______
______
______

☺	😐	☹

Uhrzeit

Es ist ein Uhr. / Es ist eins.
Es ist elf Uhr.

Es ist ______ Uhr. / Es ist ______
______.

☺	😐	☹

Familie

Großvater/Opa, Großmutter/Oma, Onkel, Tante, Cousin, Kusine

Großvater/Opa, ______
______
______

☺	😐	☹

Tiere

Elefant, Löwe, Tiger, Vogel, Papagei, Affe, Bär, Pferd, Maus, Robbe

Elefant, ______
______
______

☺	😐	☹

Zahlen

einundzwanzig, dreißig, vierzig, fünfzig, sechzig, siebzig, achtzig, neunzig, hundert

______
______
______
______
______

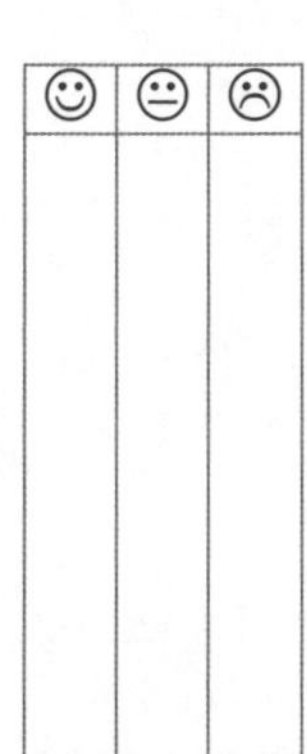

☺	😐	☹

Grammatik-Comic

1 Ergänze: das • der • den • die und sie • er • ihn • es

Wo ist/sind …?	______ Papagei	das Pferd	______ Robbe	______ Affen
Da ist/sind … doch!	______	es	sie	______

Wie findest du …?	______ Papagei	______ Pferd	______ Robbe	die Affen
Ich finde … nett.	______	______	______	sie

2 Schreib die gleichen Wörter wie oben an die richtige Stelle im Comic.

Wir feiern

Du kennst schon viele deutsche Wörter und Sätze.

Wunsch äußern

Was möchtest ______________________ ?

Ich ______________________

______________ den Block oder

das __________ ? Ich ______________

____

einladen, annehmen oder ablehnen

Kommst ______________________ ?

______________________ gern.

Tut mir __________ . Ich kann ______________

__________ weiß ______________ .

Ich __________ keine ______________

einkaufen

Was ______________________ ?

Bitte einmal __________ und __________

Was ______________________ ?

____

Spiel- und Sportsachen

Gameboy®, ______________________

____

____

____

Tiere

____

____

____

Essen und Trinken

____

____

____

Lektion 29
Bald ist mein Geburtstag

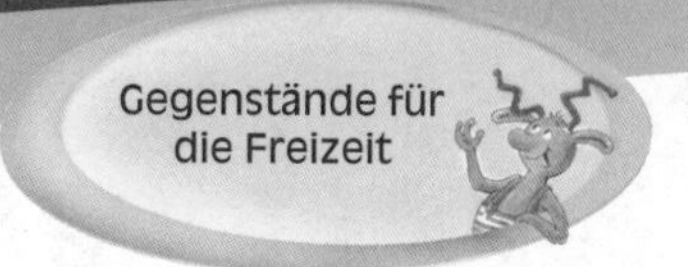

K

1 Was wünschst du dir?

1 **a)** Jede Nummer im Text ist ein Wort. Schreib die Nummern zu den Wörtern unten. Zähl zusammen. Richtig?

Ich habe bald (1). Ich darf eine (2) machen. Aber ich habe keine Lust. Und ich darf mir etwas (3). Einen Drachen? Ein Auto? Oder eine Eisenbahn? Nein. Ich habe schon so viele (4). Ich möchte einen Hund. Ich (5) Hunde so gern. Er muss Fiffi heißen und schwarz sein. Ach, (6) ist die Farbe egal. Am (7) ist es sicher nicht so einfach. Ich muss den Hund jeden Tag (8). Und ich muss mit Fiffi jeden Tag (9) laufen. Aber das ist (10). Ich laufe gern. Laufen ist mein (11). Ich wünsche mir einen Hund. Und meine Eltern sind (12). Super!

___ Geburtstag	___ Sachen	___ wünschen	___ egal
+ ___ Hobby	+ ___ Anfang	+ ___ füttern	+ ___ weit
+ ___ Party	+ ___ einverstanden	+ ___ mag	+ ___ eigentlich
= 14	= 23	= 16	= 25

b) Schreib die Geschichte richtig in dein Heft.

2 Wo sind die Wörter versteckt?

2 – 3 **a)** Such noch zwölf Wörter.

B	Z	Y	K	L	F	E	R	N	S	E	H	E	R	K
Ü	S	C	H	L	I	T	T	S	C	H	Ü	H	E	A
C	P	G	A	M	E	B	O	Y	H	R	H	G	H	M
H	O	F	A	H	R	R	A	D	I	J	R	S	A	E
E	N	O	H	R	R	I	N	G	E	K	W	T	N	R
R	Y	S	C	H	I	L	D	K	R	Ö	T	E	D	A
C	O	M	P	U	T	E	R	A	B	C	I	N	Y	Q

b) Schreib zwölf Wörter von oben an die richtige Stelle.

Ich möchte			
einen	ein	eine	---

c) Mal die Spalten aus: blau – grün – rot – gelb.

K

3 Puzzle

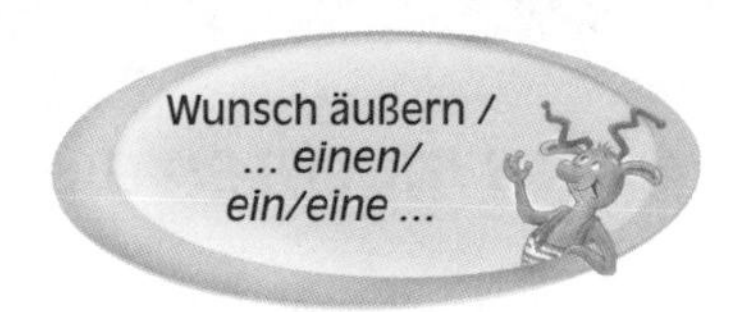

2–3 Was ist richtig? Schneid die Bildteile aus (Seite 113), such die Zahl und leg das Teil auf das richtige Feld unten.

Ich möchte	einen ein eine ---	Pony.	5 6 7 8	a)
Ich wünsche mir	einen ein eine ---	Gameboy®.	3 1 7 5	e)
Wünschst du dir	einen ein eine ---	Computer?	2 3 4 5	b)
Du möchtest	einen ein eine ---	Schlittschuhe.	6 4 2 1	f)
Ich wünsche mir	einen ein eine ---	Bücher.	2 4 6 8	c)
Ich möchte	einen ein eine ---	Fahrrad.	2 5 7 8	g)
Möchtest du	einen ein eine ---	Kamera?	3 5 7 8	d)
Du wünschst dir	einen ein eine ---	Uhr.	2 3 4 5	h)

a)	e)
b)	f)
c)	g)
d)	h)

4 Was möchten die Kinder?

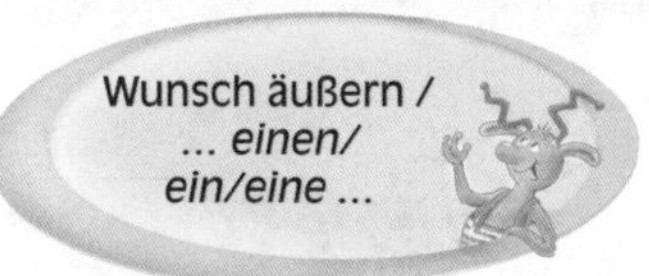

4–6

a) Such den Weg und schreib Sätze in dein Heft: Leon möchte einen …

b) Schreib Fragen und Antworten in dein Heft:

Leon, was wünschst du dir? – Ich wünsche mir einen …

5 Wie langweilig!

7–8

a) Setz ein: *einen – ein – eine* oder ---.

◆ Was wünschst du dir zum Geburtstag?

▲ Ich weiß nicht.

◆ Möchtest du ____________ MP3-Player?

▲ ____________ MP3-Player! Wie langweilig.

◆ Oder vielleicht ____________ Handy?

◆ Ich mag ____________ Handys nicht.

▲ Möchtest du ____________ Uhr?

◆ ____________ Uhr? Wie langweilig.

◆ Möchtest du ____________ Schlittschuhe?

▲ Ich fahre lieber Schi.

◆ Was möchtest du dann?

▲ Ich weiß! Ich wünsche mir ____________ Schildkröte.

◆ ____________ Schildkröte? Wie langweilig!

▲ Ich finde ____________ Schildkröten interessant.

b) Schreib einen weiteren Dialog:

Fernseher – Computerspiel – Eisenbahn – Inlineskates – Buch

Lektion 30 Einladen

Einladung annehmen oder ablehnen / *dich – euch*

K

1 Was passt zusammen?

1–2 **a)** Ordne die Antworten den Fragen zu. Schreib die Buchstaben unten auf.

1	Wann hat Ina Geburtstag?	I	Eine Party.
2	Was macht Ina?	A	Viele Einladungen.
3	Um wie viel Uhr ist die Party?	E	Am Sonntag.
4	Was möchte Ina machen?	N	Sie ist krank.
5	Was schreibt sie?	N	Um drei Uhr.
6	Wer antwortet?	G	„Wie schade."
7	Wer ruft an?	L	Sie möchte viele Freunde einladen.
8	Warum kann Evi nicht kommen?	D	Alle antworten.
9	Was sagt Ina?	U	Kusine Evi ruft an.

Lösung: ___ ___ ___ ___ ___ ___ ___ ___ ___
1 2 3 4 5 6 7 8 9

b) Schreib die Geschichte.
Mach Sätze aus Frage und Antwort. Ina hat am Sonntag …

c) Evi ruft Ina an. Schreib das Telefongespräch in dein Heft.

2 dich und euch

1–2 Setz ein: *dich – euch*.

a) Hallo, Tim und Tom. Ich mache eine Party und möchte ____________ einladen.

b) Evi, ich möchte ____________ am Samstag besuchen. Ich rufe ____________ morgen an.

c) Wer seid ihr denn? Ich kenne ____________ gar nicht.

d) Kommst du mit in den Zirkus? Ich möchte ____________ einladen.

3 SMS

3–4 **a)** Wie passen die SMS-Mitteilungen zusammen? Lösung: Das antwortet Sigi: ___ ___ ___ ___
1 2 3 4

b) Schreib auch die Antworten von Jonas, Lara und Leo in dein Heft.

4 Wo sind die Wörter versteckt?

5–6 **a)** Such die zwölf Monate.

M	J	U	K	Ö	F	D	T	E	N	W	Z	A	P
Ä	X	M	A	I	G	O	K	T	O	B	E	R	A
J	A	N	U	A	R	S	D	H	V	W	Ö	U	P
U	A	C	G	L	F	D	E	Z	E	M	B	E	R
N	W	J	U	L	I	A	S	D	M	T	Ü	P	I
I	G	F	S	E	P	T	E	M	B	E	R	O	L
E	R	H	T	U	Z	B	S	N	E	Q	Y	W	I
M	Ä	R	Z	X	O	F	E	B	R	U	A	R	K

b) Schreib die Monate in der richtigen Reihenfolge auf.

1 ____________ 5 ____________ 9 ____________

2 ____________ 6 ____________ 10 ____________

3 ____________ 7 ____________ 11 ____________

4 ____________ 8 ____________ 12 ____________

5 Was ist los im Mai?

5–6 Im Mai ist viel los. Schau den Kalender an und ergänze die Sätze. Die Silben helfen dir.

drei • drit • ers • sech • sieb • ßigs • ten • ten • ten • ten • ten • ten • ten • und • zehn • zigs • zigs • zwan • zwan • zwei

Das Reitturnier ist am ____________ Mai.

Der Zirkus kommt am ____________ Mai.

Jan hat am ____________ Mai Geburtstag.

Wir fahren am ____________ Mai zu Tante Julia.

Der Film „Harry Potter“ läuft am ____________ Mai.

Am ____________ Mai ist die Party bei Uli.

Oma hat am ____________ Mai Geburtstag.

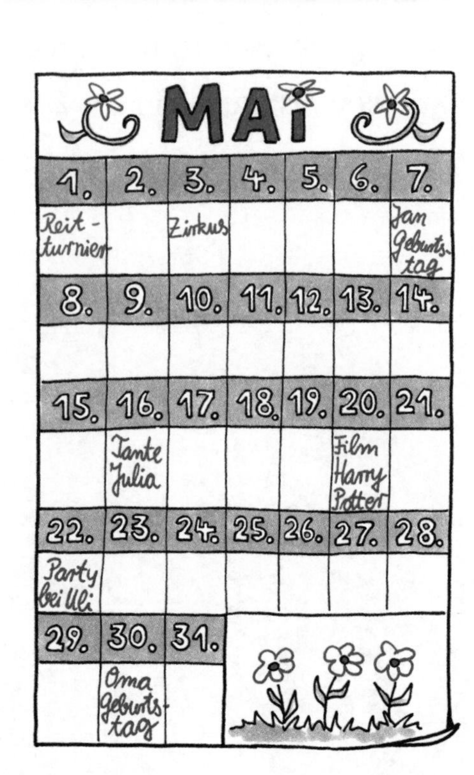

6 Was für ein Wort ist das?

➲ 7 **a)** Schreib diese Wörter an die richtige Stelle:

Vater • Oktober • Schwester • Dezember • ~~Mutter~~ • Finger

M u t t e r ____________ ______

________ ____________ ________

b) Lies die Wörter laut und unterstreich die betonte Silbe: *M u t t e r*

7 Festtage

➲ 8 – 9 **a)** Was passt zusammen? Mach Pfeile.

1 Wann ist Sankt Martin?	Am fünfundzwanzigsten Dezember.
2 Wann ist Nikolaus?	Am ersten Januar.
3 Wann ist Weihnachten?	Am sechsten Dezember.
4 Wann ist Neujahr?	Am elften November.

b) Schreib Sätze in dein Heft: Sankt Martin ist am …

c) Schreib die Antworten.

Wann ist dieses Jahr Ostern? ______________________

Wann hast du Geburtstag? ______________________

K

8 Brief nach Sydney in Australien

➲ 10 – 11 **a)** Jede Nummer im Text ist ein Wort. Schreib die Nummern zu den Wörtern unten. Zähl zusammen. Richtig?

Graz, 18. Mai

Lieber Peter,
(1) habe ich Deine (2)! Du hast doch am (3) Sonntag Geburtstag. Richtig?
Hoffentlich kommen meine Grüße nicht zu (4). Machst Du eine (5) im (6)?
(7) kommt meine Schwester Tina. Sie hat vier Freundinnen dabei. Tina möchte
mir etwas sagen. Aber alle (8), und ich verstehe nichts. Ach so, jetzt (9) ich!
Viele Grüße auch von Tina.
Also, alles Gute! Deine Maria

___ *Party*	+	___ *Garten*	+	___ *Adresse*	=	13
___ *endlich*	+	___ *Gerade*	+	___ *nächsten*	=	11
___ *verstehe*	+	___ *lachen*	+	___ *spät*	=	21

b) Peter antwortet. Schreib Peters Brief: danke für den Brief – erst am 25. Juli – zu früh – macht nichts.

Lektion 31
So viel zu tun!

1 Wo sind die Wörter versteckt?

1 **a)** Finde noch 16 Wörter.

K P O S T E R L I M O N A D E O
U I T A S C H E N R E C H N E R
L Z Y L B D S X A P F E L Z B A
I Z N A R C A W Ü R S T C H E N
K A R T O F F E L P U D D I N G
W U R S T I T K A K A O K Ä S E

b) Schreib die Wörter aus dem Rätsel in die richtige Spalte.

Essen		Trinken	Preise
Apfel			

c) Eins und viele. Schreib die Mehrzahl der Wörter.

1 ein Apfel →

zwei ____________________

2 ein Würstchen

vier ____________________

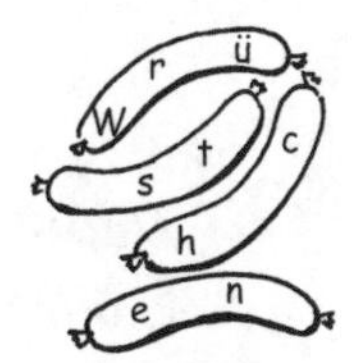

3 eine Kartoffel

drei ____________________

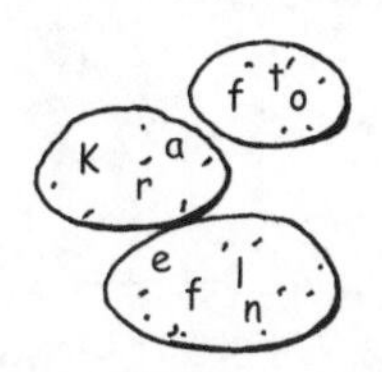

4 ein Kuli

fünf ____________________

5 ein Poster

zwei ____________________

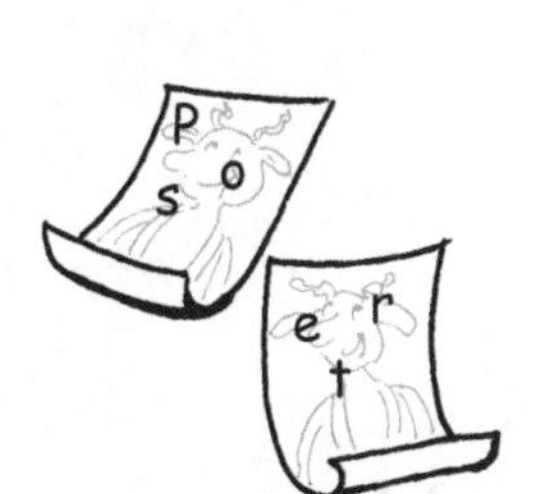

d) Du kannst die Mehrzahl selbst bilden. Schreib die Wörter in dein Heft:
Brötchen und Taschenrechner wie 2, CD und Pony wie 4, Orange wie 3, Garten wie 1.
Schreib so: ein Brötchen – zwei …

K

Fragen / Wunsch äußern

2 Welche Antwort passt?

➲ 2

1 Wie geht es dir?

- P Mir geht es gut.
- B Gute Besserung.
- K Ich möchte gehen.

2 Wann hast du Geburtstag?

- E Um drei Uhr.
- A Am dritten April.
- O Ich habe Geburtstag.

3 Machst du eine Party?

- S Nein, ich mache eine Party.
- N Nein, im Garten.
- R Ja, am nächsten Samstag.

4 Kannst du kommen?

- L Nein, schade.
- Z Leider.
- T Nein, tut mir leid.

5 Was wünschst du dir?

- Y Ich möchte eine CD.
- Q Ich wünsche mir.
- X Ich habe Geburtstag.

Ordne die Antworten den Fragen zu.
Schreib die Buchstaben auf.

Lösung: ___ ___ ___ ___ ___
1 2 3 4 5

3 Komische Wörter

➲ 2 – 3

Wie sind die Wörter richtig?
Schreib die richtigen Wörter in dein Heft.

Kartoffelrechner	Ohrbrot	Eisensalat
Wurstsaft	Schildringe	Taschenbaby
Geburtsbahn	Orangentag	Löwenkröte

4 Wie bitte?

➲ 3

a) Ordne den Dialog.

- _1_ ◆ Möchtest du eine Orange?
- ____ ◆ Wie bitte?
- ____ ◆ Isst du drei Orangen?
- ____ ● Nein, ich trinke die Orangen.
- ____ ● Nein, drei Orangen.
- ____ ● Ich mache Orangensaft. Das schmeckt gut!

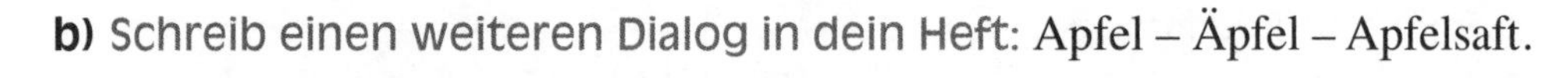

b) Schreib einen weiteren Dialog in dein Heft: Apfel – Äpfel – Apfelsaft.

5 So ein Quatsch!

➲ 3 – 4

Schreib die Geschichte richtig in dein Heft. Vertausch diese Wörter.

Olaf hat Hunger und Hunger. Da ist ein Kiosk. Er möchte ein Stück Orangensaft und ein Glas Pizza. Die Pizza ist groß und gut. Olaf möchte noch weniger essen. Er isst Kartoffel mit Würstchensalat. Aber Olaf hat immer noch Durst. Eigentlich möchte er mehr essen. Er ist schon so dick. Na, egal! Olaf nimmt noch ein Eis. Hm, das Eis ist warm!

K

6 Was passt zusammen?

einkaufen / Lesen

4–5 **a)** Was gehört zusammen? Schreib die Buchstaben auf.

1 Was kostet die Marmelade?
2 Das Poster kostet zwölf Euro.
3 Kostet die Pizza drei Euro 50?
4 Die Würstchen kosten nur 60 Cent das Stück.
5 Was kosten die Comics?
6 Sieh mal, die CDs kosten nur zwei Euro 80.

A Nein, heute weniger, nur drei Euro.
G Zwei Euro 50 das Stück.
R Was? So teuer?
E Nein, leider mehr. Zwölf Euro 80!
N Das ist ja billig.
O Ein Glas ein Euro 75, zwei Gläser drei Euro.

Lösung: ___ ___ ___ ___ ___ ___
1 2 3 4 5 6

b) Schreib die passenden Sätze in dein Heft.

Lerntipp zum Ausfüllen
Lern zur Einzahl immer gleich die Mehrzahl.
ein Kuli → zwei ________

7 Drei kleine Dialoge.

5 Finde drei kleine Dialoge. Jeder Dialog hat drei Teile. Schreib die Dialoge in dein Heft.

A Bitte, was kosten die Kulis?
B Na, was möchtet ihr denn?
◯ Was? So teuer?
C Was kostet das Brot da?
◯ Dann nehme ich zwei Stück.
◯ Einen Taschenrechner, bitte.
◯ Das macht vier Euro 20.
◯ Vier Euro 50.
◯ 80 Cent das Stück.

8 Zeitungsanzeigen

5

1 **Digital-Kamera** wie neu, 49,– €, Tel. 664422

2 **Schlittschuhe** Größe 36, weiß, 16 Euro, Tel. 943512

3 **Comics,** Schnurri, Blackman und andere. Stück 70 Cent, Tel. 742573

4 **Kinderfahrrad,** rot, gut erh., 19 €. Tel. 571024

5 **Poster von Tokio Hotel** u. a. Gruppen, Stück 2,50 €, Tel. 269745

6 **Kinderbücher** von Elis Kaut und Ursula Wölfl, 10 Stück 12 Euro, Tel. 3792441

a) Lies die Aussagen. Welche Anzeige passt? Schreib die Nummern.

___ Interessant. Ich lese doch so gern.
___ Meine Schlittschuhe sind schon zu klein.
___ Vielleicht gibt es da auch Fixi-Comics.
___ Mein Fahrrad ist kaputt.
___ Super! Ich mache so gern Fotos.
___ Toll! Meine Lieblingsgruppe.

b) Stell deinem Partner Fragen zu den Anzeigen: Was kostet …? Was kosten …?

Lektion 32
Wir feiern Geburtstag

Wünsche / eine Geschichte erzählen

K

1 Viele gute Wünsche

1 Wann sagt man das? Ordne zu. Schreib die Buchstaben auf.

1	Alles Gute.	O	Du bist krank.
2	Gute Besserung!	G	Du gehst schlafen.
3	Herzlich Willkommen!	M	Du hast Geburtstag.
4	Gute Nacht.	E	Du gehst weg.
5	Auf Wiedersehen.	N	Das sagst du am 24. Dezember.
6	Frohe Weihnachten!	R	Du kommst zu einer Party.

Lösung: Das sagst du, wenn du aufstehst:

GUTEN ___ ___ ___ ___ ___ ___
1 2 3 4 5 6

2 So feiern wir Geburtstag

1–4 Schreib die Geschichte. Die Fragen helfen dir. Auf jede Linie gehört ein Wort.

1 Was muss Carlo machen? — ______ ______ die Kerzen ausblasen.

2 Was muss er dann machen? — Dann ______ er die Torte anschneiden.

3 Wer möchte ein Stück Torte? — Alle möchten ______ ______ ______.

4 Was möchten die Kinder trinken? — ______ ______ ______ Saft oder Limo ______.

5 Was trinken dann alle? — Dann ______ alle Kinderpunsch.

6 Was gibt es noch? — ______ ______ ______ Eis und Kuchen.

7 Was gibt es später? — Später ______ es Würstchen mit Kartoffelsalat.

8 Wer kommt? — Planetino ______.

9 Was singt er? — ______ ______ „Alles Gute, viel Glück" auf Planetanisch.

3 Was hast du bekommen?

5-9 **a)** Such den Weg und schreib Sätze.

Daniel hat ______________________________ *bekommen.*

Elena ______________________________

Marek ______________________________

Sara ______________________________

Roberto ______________________________

Lea ______________________________

Pascal ______________________________

Eva ______________________________

b) Wer sagt das? Schreib die Namen.

1 ____________: Endlich kann ich meine Freundin anrufen.

2 ____________: Die sehen aber schön aus.

3 ____________: Das ist sicher interessant.

4 ____________: Ich darf aber nur Kinderfilme sehen.

5 ____________: Super! Ich lese doch so gern.

6 ____________: Ich mag doch Tiere so gern.

7 ____________: Da kann ich sicher ganz schnell fahren.

8 ____________: Jetzt komme ich nicht mehr zu spät.

c) Was sagen die Kinder? Schreib so in dein Heft:

Marek sagt: Ich habe ein … bekommen. Endlich kann ich meine Freundin …

Weißt du das noch?

K

1 Doppelkreuzworträtsel

a) Schreib das Gegenteil ins Kreuzworträtsel. Probier's zuerst allein.

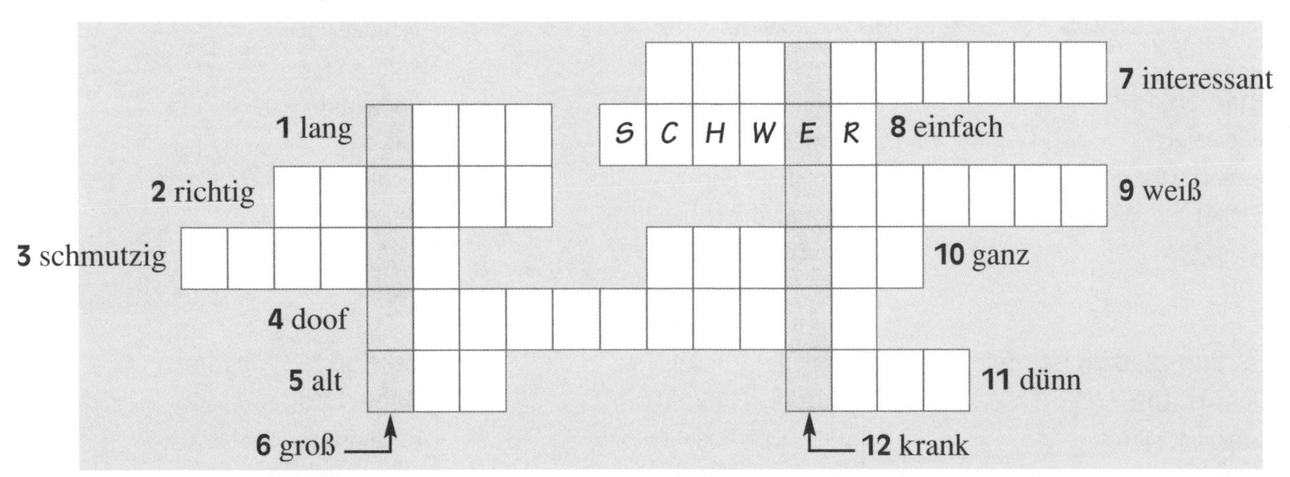

b) Zu schwer? Hier sind die Wörter, aber nicht in der richtigen Reihenfolge:

neu • kurz • klein • langweilig • kaputt • ~~schwer~~ • intelligent • schwarz • dick • falsch • gesund • sauber

2 Kleine Geschichten

a) Ergänze: *der – den* und *er – ihn*.

1 Zieh doch ________ Pulli an! Ich finde __________ so nett.

2 Wie heißt denn ________ Junge da? – Lukas. – Kennst du __________?
Ja, ________ wohnt gleich da.

3 Siehst du __________ Hund da? Ist ________ nicht süß? –
Ja, ich finde ___________ auch lieb.

4 Gib mir mal __________ Ball, bitte! – Wo ist _________ denn? –
Ich sehe _________ nicht. – Na da! Da ist __________ Ball.

b) Schreib kleine Geschichten in dein Heft.

das – das und *es – es*: Kleid, Kind, Pony, Auto
die – die und *sie – sie*: Tasche, Frau, Jacke, Katze

3 Worttreppe

Mach eine Worttreppe auf ein Blatt. Schreib das ABC. Schreib auf jede Stufe ein Wort. (Bei x und y kannst du die Stufen freilassen.)

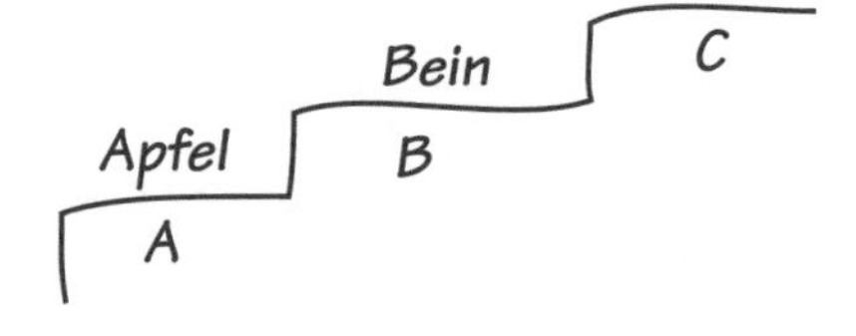

Wortliste

_________: Hier kannst du *der, das, die* eintragen.

_ _ _ _ _ _: Hier kannst du die Mehrzahl eintragen.

Themenkreis Wir feiern

Kursbuch Seite 29

Geburtstag, der, Geburtstage
wünschen
weit

Lektion 29: Bald ist mein Geburtstag

Kursbuch Seite 30

Party, die, Partys
einladen
Kamera, ______, Kameras
Fernseher, ______, Fernseher
Pony, ______, Ponys
Uhr, ______, Uhren
Schildkröte, ______, Schildkröten
Schlittschuh, der, _ _ _ _ _ _ _ _
Ohrring, der, _ _ _ _ _ _ _ _

Lektion 30: Einladen

Kursbuch Seite 33–36

Einladung, die, Einladungen
antworten
später
brauchen
hoffen
bekommen
wichtig
natürlich
hoffentlich
erste
am ersten
zweite
dritte
vierte
fünfte
sechste
siebte
achte
neunte
zehnte
elfte
zwölfte
dreizehnte
zwanzigste
einundzwanzigste
zweiundzwanzigste
dreißigste
einunddreißigste
Januar, der (Einzahl)
Februar, der (Einzahl)
März, der (Einzahl)
April, der (Einzahl)
Mai, der (Einzahl)
Juni, der (Einzahl)
Juli, der (Einzahl)
August, der (Einzahl)
September, der (Einzahl)
Oktober, der (Einzahl)
November, der (Einzahl)
Dezember, der (Einzahl)
gerade
spät
Garten, der, Gärten
Adresse, die, Adressen
verstehen
lachen

Lektion 31: So viel zu tun!

Kursbuch Seite 37–39

Kartoffelsalat, ______, Kartoffelsalate
Kartoffel, die, _ _ _ _ _ _ _ _
Würstchen, ______, Würstchen
Pizza, ______, Pizzas
Brot, ______, Brote
Käse, ______ (Einzahl)
Wurst, ______, Würste
Pudding, ______ (Einzahl)
Keks, ______, Kekse
Apfel, ______, Äpfel
Orange, ______, Orangen
Kuli, ______, Kulis
Taschenrechner, ______, Taschenrechner
CD, ______, CDs
Poster, ______, Poster
Apfelsaft, der (Einzahl)
Orangensaft, der (Einzahl)
warm
Glas, das, Gläser
schmecken
wenig
einkaufen
teuer
Cent, der, Cent
billig
Stift, der, Stifte
prima

Lektion 32: Wir feiern Geburtstag

Kursbuch Seite 40–43

Glück, das (Einzahl)
Torte, die, Torten
immer
oben
gratulieren
Geschenk, das, Geschenke
Reise, die, Reisen
Zeit, die, Zeiten
Zeit haben
reden
Datum, das, Daten

Das habe ich gelernt

hier falten

Wunsch äußern

Was ________ du ________
____
________ ? – Ich ________
____
Was ________ du? – ________
____

Was wünschst du dir zum Geburtstag?
Ich wünsche mir eine Kamera.

Was möchtest du?
Ich möchte einen Hund.

einladen

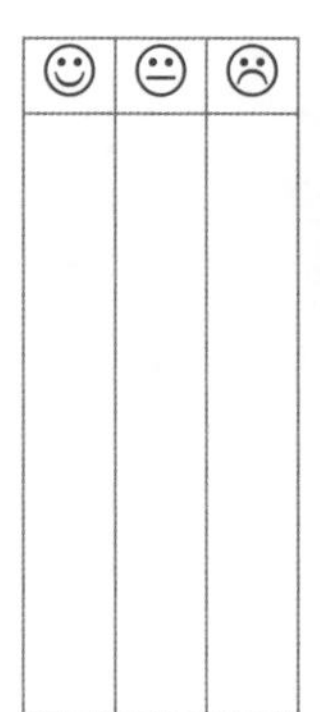

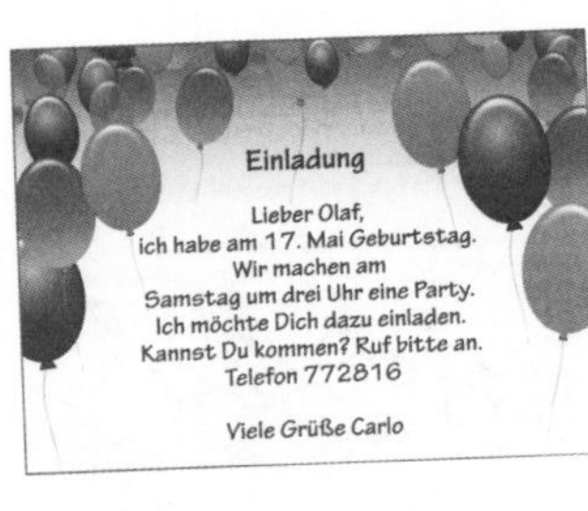

Einladung

Lieber Olaf,
ich habe am 17. Mai Geburtstag.
Wir machen am
Samstag um drei Uhr eine Party.
Ich möchte Dich dazu einladen.
Kannst Du kommen? Ruf bitte an.
Telefon 772816

Viele Grüße Carlo

Ich habe ________
____
________ Ich mache ________
Ich möchte ________
Ich ________

Ich habe am 17. Mai Geburtstag.

Ich mache eine Party.

Ich möchte dich einladen.

Ich möchte euch einladen.

annehmen

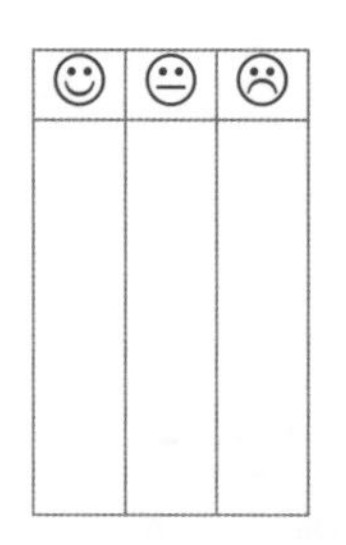

Ich ________ gern.
Ich ________ ,
aber ________

Ich komme gern.

Ich komme gern, aber später.

ablehnen

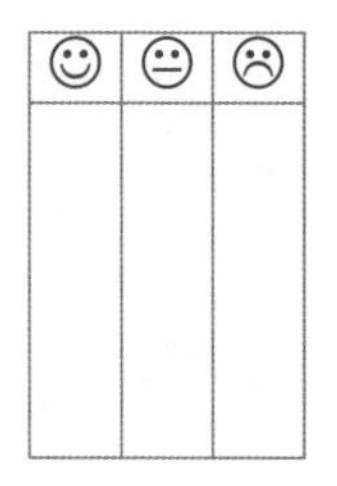

Ich kann ________
________ Ich ________
zu ________

Ich kann leider nicht kommen.
Ich muss zu Tante Olga.

Datum

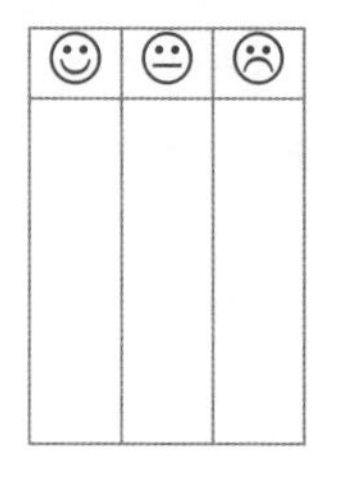

Zahnarzt: ________
Zirkus: ________
Oma kommt ________

am dritten April

am zwanzigsten Mai

am ersten Juni

☞

hier falten

einkaufen

Wo gibt es Hefte?	Wo gibt ______ ?
Was kostet ein Heft?	Was ______ ein ______ ?
Die hier kosten 50 Cent das Stück.	Die hier ______ ______
Dann nehmen wir sechs Stück.	Dann ______ sechs ______
Das macht drei Euro.	______ drei Euro.

☺	😐	☹

Gegenstände für die Freizeit

Computer, Fernseher, Handy, Kamera, Uhr, Schlittschuhe, Schier, Ohrringe, Poster, CD, Taschenrechner, Kuli

Computer, ______

☺	😐	☹

Essen und Trinken

Kartoffelsalat, Pudding, Apfel, Käse, Kuchen, Keks, Saft, Kakao, Würstchen, Obst, Brot, Brötchen, Eis, Kartoffel, Orange, Pizza, Wurst, Limonade

Kartoffelsalat, ______

☺	😐	☹

Grammatik-Comic

1 Ergänze: Ich wünsche mir

eine • einen • ein • ---

________ Computer	__________ Handy	_________ Kamera	_________ CDs

2 Schreib die gleichen Wörter (oder ---) wie oben an die richtige Stelle im Comic.

Schule

Du kennst schon viele deutsche Wörter und Sätze.

Wochentage

Montag,

Vorliebe ausdrücken

Ich gern

macht mir

gern ?

Nein, ich .

Uhrzeit

Wie ?

Tagesablauf

aufstehen, frühstücken,

auffordern

Gib !

Personen beschreiben

groß,

Die Beine sind

Jahre

Schule

Tafel,

Klasse,

Lektion 33
Mein Stundenplan

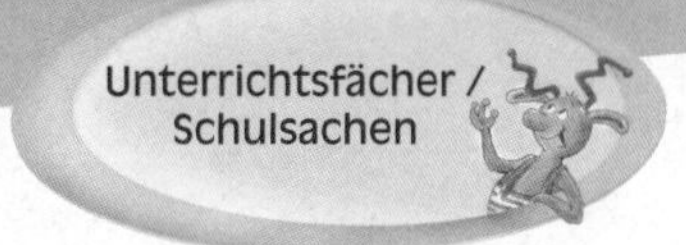

1 Schulfächer

1–2 Wie heißen die Schulfächer? Schneid aus (Seite 113) und kleb ein.

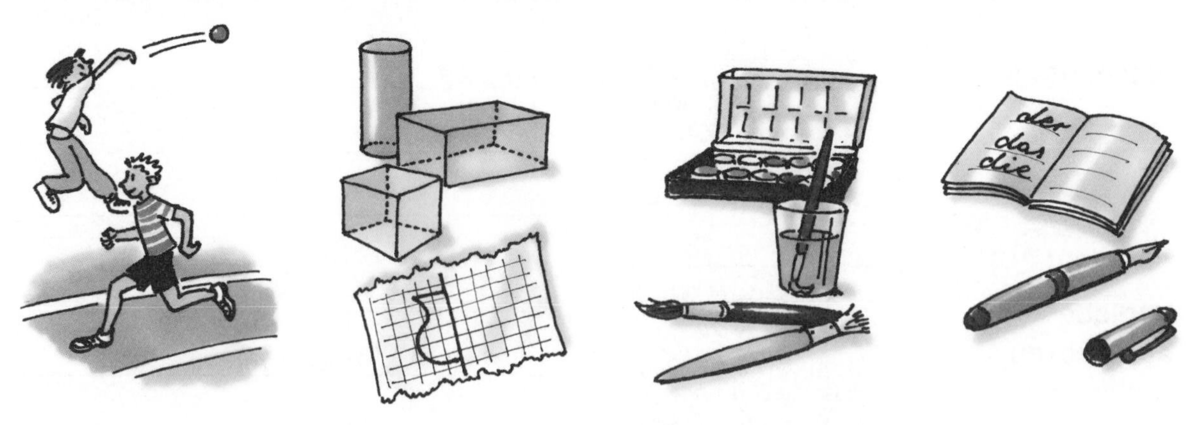

______ ______ ______ ______

______ ______ ______ ______

K 2 Was brauchen wir da?

3 **a)** Was brauchen die Schüler in den Fächern? Schreib die Buchstaben:

D Sachunterricht　U Sport　SCH Englisch

E Kunst　T Mathematik

1 Heft, Farbstifte, Buch
2 Malkasten, Pinsel, Block
3 Turnzeug, Fußball
4 Lineal, Heft, Buch
5 Buch, Heft, CD

Lösung: ___ ___ ___ ___ ___
1 2 3 4 5

b) Schreib Sätze in dein Heft: Im Sachunterricht brauchen die Schüler ein Heft. …

3 Purzelsätze

3–5 Schreib die Sätze richtig.

a) haben – in der ersten Stunde – Am Mittwoch – Deutsch – wir

Am ______________________________

b) wir – Am Montag – haben – in der dritten Stunde – Mathe

____

c) Sport – in der fünften Stunde – haben – Am Freitag – wir

____

d) in der sechsten Stunde – Kunst – Am Dienstag – wir – haben

____

e) haben – Am Samstag – frei – wir.

____

4 Drei Kreuzworträtsel

6 Schreib die Wörter in die richtigen Kreuzworträtsel.

Tisch • spielen • Stunde • Schule • Sport • Stiefel • schön • Stundenplan • schnell • Spaß • Stuhl • sprechen • Deutsch • Stadt • später

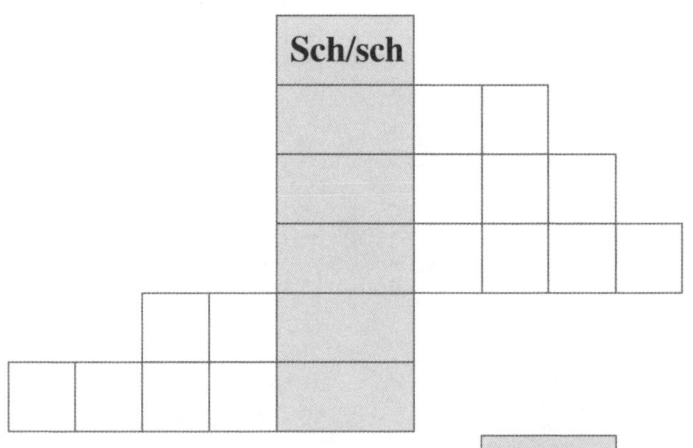

Sp/sp

St/st

5 Viele Fächer

7–8 Was passt zusammen? Mach Pfeile.

- Biologie
- Erdkunde/Geografie
- Geschichte
- Sozialkunde
- Physik
- Chemie

K 6 Kreuzworträtsel

1–8 **a)** Schreib die Wörter an die richtige Stelle im Rätsel.

bisschen • mitnehmen • froh • Lieblingsfach • Brief • Grundschule • anfangen • Beispiel • aufstehen

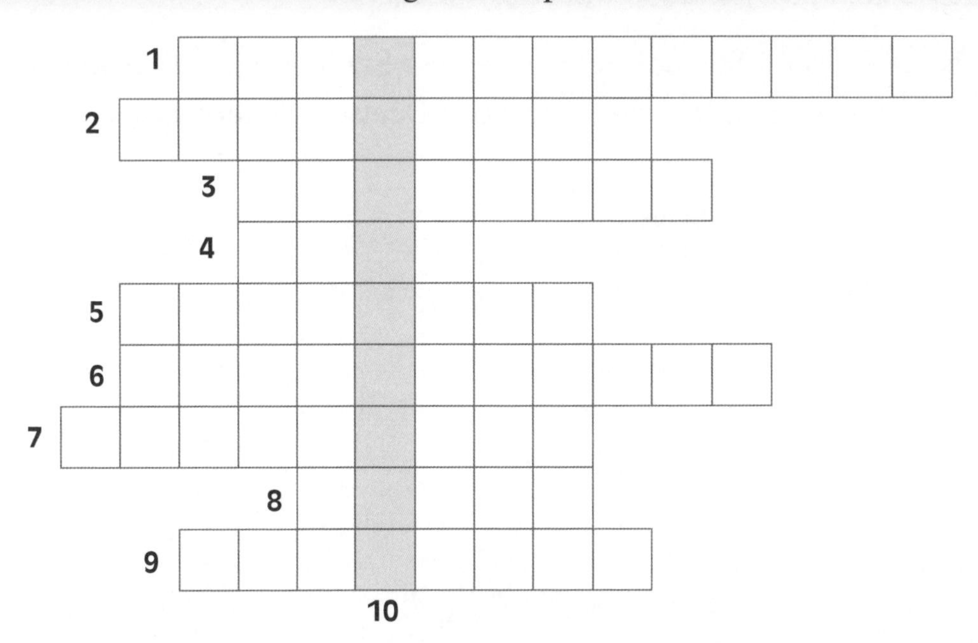

b) Schreib die Sätze in dein Heft. Verwende die Wörter aus dem Kreuzworträtsel.

1. Sport ist mein ✱.
2. Wir haben heute Kunst. Ich muss den Malkasten ✱.
3. Hast du keinen Hunger? Komm, iss doch ein ✱!
4. Heute ist frei! Ich bin so ✱!
5. Kinder, wir müssen heute mit Mathematik ✱. Der Sportlehrer ist noch nicht da.
6. Uli geht in die zweite Klasse ✱.
7. Max, ✱! Es ist schon sieben Uhr.
8. Ich schreibe heute Oma einen ✱.
9. Mach doch ein bisschen Sport, zum ✱ Karate.
10. Magst du Sport? – Nein, nicht ✱.

Lektion 34
Wie spät ist es?

1 Uhrzeiten

1–5 Lies die Uhrzeiten. Schneid die Uhren aus (Seite 113) und kleb sie an die richtige Stelle.

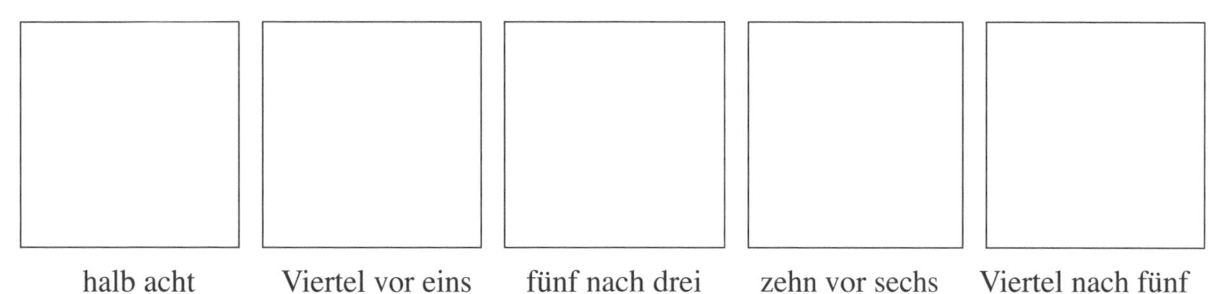

halb acht | Viertel vor eins | fünf nach drei | zehn vor sechs | Viertel nach fünf

2 halb – Viertel vor – Viertel nach

1–5 **a)** Schau die Uhren an und lies die Uhrzeiten. Verbinde.

halb eins | halb drei | halb zwölf | halb sieben

Viertel vor acht | Viertel nach vier | Viertel vor elf | Viertel nach acht

b) Lies die Uhrzeiten und zeichne die Zeiger.

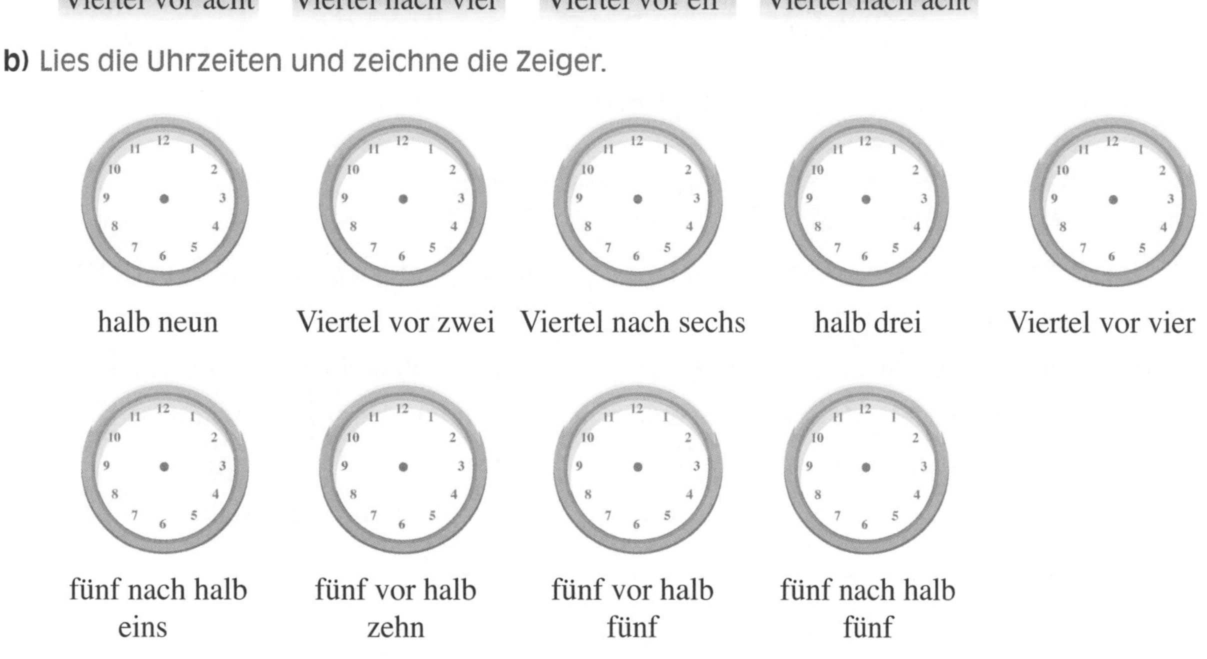

halb neun | Viertel vor zwei | Viertel nach sechs | halb drei | Viertel vor vier

fünf nach halb eins | fünf vor halb zehn | fünf vor halb fünf | fünf nach halb fünf

3 Wie spät ist es?

1–5 a) Schreib die Uhrzeiten auf.

1 Es ist ____________________

2 ____________________

3 ____________________

4 Es ist ____________________

5 ____________________

6 ____________________

b) Mach eine Aufgabe für deinen Partner. Zeichne drei Uhren. Dann tauscht die Blätter. Jeder schreibt die Uhrzeit dazu.

4 Ein Tag mit Manuel

6–7 a) Ordne die Wörter den Bildern zu. Schreib die Buchstaben.

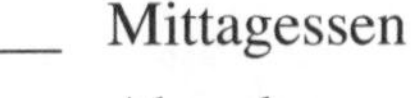

___ Mittagessen
___ Abendessen
___ duschen
___ frühstücken

b) Ergänze die Geschichte und schreib sie in dein Heft.
Verwende die Wörter von Aufgabe a. Schau die Bilder genau an.
Verwende auch diese Wörter: gehen (3 mal) – aufstehen – machen – spielen (2 mal)
Achte auf die richtige Form.

1 Um fünf nach halb sieben *steht* Manuel ✱.
2 Um Viertel vor sieben ✱ er.
3 Pünktlich um zwanzig nach sieben ✱ er.
4 Um zwanzig vor acht ✱ er in die Schule.
5 Um Viertel nach zehn ist Pause. Da ✱ er Fußball.
6 Um fünf nach eins ✱ er nach Hause.
7 Um zehn vor zwei ist das ✱ fertig.
8 Um halb drei ✱ Manuel Hausaufgaben.
9 Um fünf Uhr ✱ er Gitarre.
10 Um halb acht gibt es ✱.
11 Um halb neun ✱ Manuel ins Bett.

c) In Planetanien ist alles anders. Schreib Planetinos Tag auf. Zum Beispiel:
Um halben sieben ist das Mittagessen fertig. Um Viertel vor sieben …

Lektion 35

Im Unterricht

Verneinung mit *kein*

1 Zauberer Fidibus

1 **a)** Wie passen die Sätze und Bilder zusammen? Mach Pfeile.

Ich habe einen Hut. | Ich habe ein Buch. | Ich habe eine Brille. | Ich habe Schuhe.

Ich habe keinen Hut. | Ich habe kein Buch. | Ich habe keine Brille. | Ich habe keine Schuhe.

b) Schreib die passenden Sätze so in dein Heft: Ich habe einen … Ich habe keinen …

2 Labyrinth: O je!

2–3 **a)** Such die Geschichte. Findest du den Weg?

O je. Wir haben jetzt Kunst. Und ich habe meinen Pinsel vergessen. Hast du vielleicht einen Pinsel?

Tut mir leid. Ich habe auch keinen Pinsel. | Ja gern. Ich habe auch keinen Pinsel.

Oder einen Farbstift? | Oder keinen Farbstift?

Ich habe auch keinen Farbstift. Ich habe meinen Rucksack vergessen. | Ich habe auch einen Farbstift. Ich habe meinen Rucksack vergessen.

Super! Dann hast du auch keinen Block dabei. | O je! Dann hast du auch keinen Block dabei.

Keinen Block, kein Blatt, keinen Malkasten, keine Farbstifte. Nichts! | Einen Block, ein Blatt, einen Malkasten, Farbstifte. Nichts!

Warte mal! Nimm meinen Malkasten. Und hier hast du ein Blatt. | Warte mal! Gib mir meinen Malkasten und mein Blatt.

Danke. Aber ich habe noch keinen Pinsel. | Bitte. Aber ich habe einen Pinsel.

Au ja! Was machen wir denn da? | O je! Was machen wir denn da?

b) Schreib die Geschichte richtig in dein Heft.

3 Was ist anders?

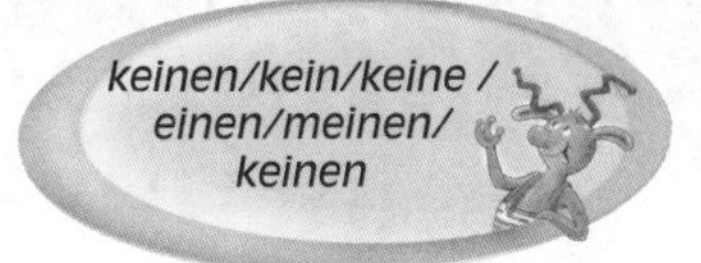

➲ 2–3 Schau die Bilder genau an. Schreib in dein Heft. Schreib so:

Bild 1: Bastian hat einen Füller, ein … Lisa hat …

Bild 2: Bastian hat kein …

K 4 Brief

➲ 4–5 **a)** Im Text fehlen Wörter. Die Wörter stehen unten und haben Zahlen.
Schreib die Zahlen unten auf. Rechenrätsel.

Basel, 22. 02.

Liebe Oma,
meine Klasse fährt nächste Woche weg. Wir fahren Schi. Das ist toll. Aber ich habe keine Sachen. Das ist nicht so toll.
Meine Schier sind zu kurz. Mama sagt, ich muss (a) Schier von Claudia nehmen.
Ich habe auch (b) Stiefel. Ich muss (c) Stiefel von Urs nehmen. So ein Mist.
Ich finde (d) Schihose doof. Sie ist lila. Und ich möchte (e) andere Jacke. Aber ich bekomme (f) andere Jacke. Mama sagt, die Sachen sind noch gut. Aber ich kann (g) Schihemd haben, sagt Mama. Mama findet nämlich (h) Hemd zu klein. Aber ich bekomme sicher (i) Hemd von Mama! Nein, nein, ich möchte (j) Hemd.
Ach, ich finde (k) Sachen gar nicht schön. Nur (l) Pulli finde ich toll. (m) finden meine Freundinnen sicher auch toll.
Sag mal, brauche ich (n) Schal? Ich habe nämlich gar (o) Schal.
Ach, ich habe gar keine Lust.
Viele Grüße
Deine Leonie

1 einen	**5** ein	**9** eine
2 meinen	**6** mein	**10** meine (2x)
3 keinen	**7** kein	**11** keine (2x)
4 Den	**8** das	**12** die (2x)

a *12*	d ___	g ___	j ___	m ___
+ b ___	+ e ___	+ h ___	+ k ___	+ n ___
+ c ___	+ f ___	+ i *8*	+ l ___	+ o ___
= 35	**= 30**	**= 19**	**= 19**	**= 8**

b) Schreib den Brief richtig in dein Heft.

5 Was mache ich denn nur?

keinen/kein/keine/
Unterrichtsfächer

4–5 **a)** Ergänze: *keinen* (2 mal) – *kein* – *keine* – *meinen* (2 mal) – *mein* (2 mal) – *meine*

▲ O je! Ich habe ___________ Mäppchen zu Hause vergessen.

Jetzt habe ich ________________ Bleistift dabei und auch

________________ Füller, ____________ Lineal und

______________ Schere. Was mache ich denn nur?

● Hier! Nimm _______________ Bleistift und ________________

Füller. Du kannst auch ______________ Lineal und ____________

Schere haben.

b) Mach zusammen mit deinem Partner eine ähnliche Geschichte: Du hast deinen Rucksack vergessen.

6 Was machen wir da?

6–8 **a)** Was passt? Mach Kreuzchen. [x]

	Deutsch	Englisch	Mathe	Sachunterricht	Musik	Sport	Kunst	Textilarbeit/Werken
lesen	×	×		×				
schreiben								
rechnen								
lernen								
zeichnen								
malen								
spielen								
turnen								
basteln								
singen								

b) Schreib Sätze in dein Heft: Ich male und … in Kunst.

7 E-Mail aus Planetanien

6–8

Von : carlo@planetino_zwei.de
An : steffi@planetino_zwei.de

Liebe Steffi,
hier in Planetanien ist alles anders. Zum Beispiel: In Mathe turnen die Schüler!
Sie brauchen Turnschuhe, einen Ball und ein Springseil. In Mathe!
In Musik ...   Da brauchen sie ...
Bis bald
Dein Carlo

Schreib Carlos E-Mail in dein Heft.
Was machen die Schüler in den Fächern und was brauchen sie?
Wer schreibt den schönsten Quatsch?

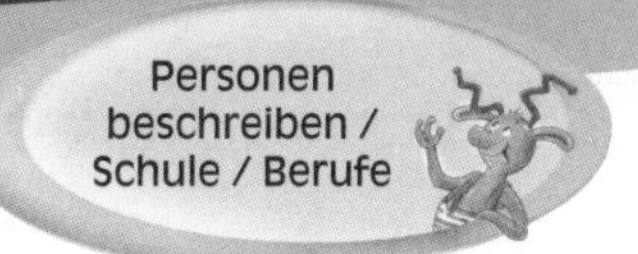

K

1 Kinderzeitung Hokuspokus

1 **a)** Lies den Text. Welches Wort ist richtig? Schreib die Buchstaben unten auf.

Die Hokuspokus-Rätselecke

1 Jakob wohnt in Deutschland, in München (B) / Nürnberg (M).
2 Er ist zehn (I) / elf (U) Jahre alt.
3 Er geht ins Gymnasium (A) / in die Grundschule (O), in die fünfte Klasse.
4 Jakobs Lieblingsfach ist Mathematik (H) / Englisch (S).
5 Da hat er immer eine Eins in der Hausaufgabe (E) / Klassenarbeit (M).
6 Auch in Deutsch (N) / Musik (Z) hat er immer gute Noten.
7 Nur in Kunst (I) / Sport (T) ist er nicht so gut.
8 Jakobs Zeugnis ist gut (Y) / schlecht (V).
9 Jakob möchte einmal Ingenieur (G) / Arzt (Z) werden.

Schau die Bilder an. Welches Wort passt?
Schreib die Buchstaben hier auf:

___ ___ ___ ___ ___ ___ ___ ___ ___
1 2 3 4 5 6 7 8 9

Ordne die Buchstaben.
Schick das Lösungswort an rätselecke@hokuspokus.de

Lösung: ______________________

b) Schreib eine Geschichte wie oben.

Nadine – Schweiz/Lausanne – neun Jahre alt – Grundschule vierte Klasse – Lieblingsfach Deutsch – immer gut in der Klassenarbeit – auch gut in Mathematik – nur in Sport nicht so gut – Zeugnis nicht schlecht – Lehrerin

Schreib so: Nadine wohnt in der Schweiz, in Lausanne. Sie ist …

c) Erfinde weitere Geschichten zusammen mit deinem Partner. Denk an: Name, Stadt, Alter, Schule, Klasse, Lieblingsfach, Zeugnis, Beruf.
Diese Berufe kennst du schon: Lehrerin – Arzt – Sekretärin – Künstler – Clown.

2 dürfen – müssen

2 **a)** Ergänze die Tabelle.

ich	du	er/es/sie	wir	ihr	sie/viele
muss			*müssen*		
	darfst			*dürft*	

b) Schreib zwölf Sätze in dein Heft. Verwende auch diese Wörter: Skateboard fahren, reiten, spielen, Hausaufgaben machen, lernen, fernsehen, zu Oma gehen, Ordnung machen …

3 E-Mail an Tante Claudia

2

Von : tim_leo@planetino_zwei.de
An : claudia@planetino_zwei.de

Liebe Tante Claudia,
heute ist wieder Jakobs Freund Max da. Die zwei spielen immer Tennis. Wir möchten so gern mitspielen. Aber wir dürfen nicht. Wir sind noch zu klein, sagt Jakob. Aber wir müssen immer die Bälle holen. Wir sind so sauer!
Bis bald, Tim und Leo

a) Tante Claudia erzählt Onkel Tobias, was in der E-Mail steht. Schreib den Text in dein Heft: Heute ist … Die zwei … Tim und Leo … Aber sie dürfen …

b) Kusine Lara hat Probleme mit ihrer Schwester Uta. Lara schreibt Tante Claudia. Schreib die E-Mail so: Heute ist … Utas Freundin Lisa … Die zwei … Tischtennis … Ich …

4 Drei kleine Geschichten

2 **a)** Ergänze *dürfen* und *müssen* in der richtigen Form.

Teil 1:

A Mama, ______________ wir Fußball spielen?

B Papa, ___________ ich noch ein bisschen fernsehen?

C Kinder, ich ________ jetzt zu Oma. Die Hausaufgaben nicht vergessen. In Ordnung?

Teil 2:

___ Nein, du __________ ins Bett.

___ Mama, ___________ wir gleich Hausaufgaben machen?

___ Nein, ihr __________ erst Hausaufgaben machen. Dann __________ ihr spielen.

Teil 3:

___ Mist! Jan __________ noch fernsehen. Nur ich nicht!

___ Also los! Hausaufgaben! Schnell!

___ Peter, du ___________ noch ein bisschen lesen. Aber Laura _________ gleich Mathe machen.

Lerntipp zum Ausfüllen

Lies Dialoge immer zusammen mit deinem Partner. Du liest:
Papa, darf ich noch ein bisschen fernsehen?
Dein Partner:
____
____

b) Jede Geschichte hat drei Teile. Schreib A, B oder C zu den Sätzen. Schreib die Geschichten dann richtig in dein Heft.

5 Was sagt die Lehrerin?

➲ 2

Ergänze die Sätze in der Tabelle.

Sammle die Bücher ein!	
	Macht den Tisch sauber!
Gieß die Blumen!	
	Rechnet die Aufgabe!
Schreib die Geschichte!	

K 6 Kreuzworträtsel

➲ 1–4

Löse das Rätsel. Die Silben helfen dir.

A • al • an • bi • brik • de • Fa • for • Fran • Ge • Glück • In • Klas • le • leh • ma • ni • nis • Re • ren • rer • sen • si • sisch • schu • schwis • tät • ter • tik • tur • U • ver • Zeug • zö

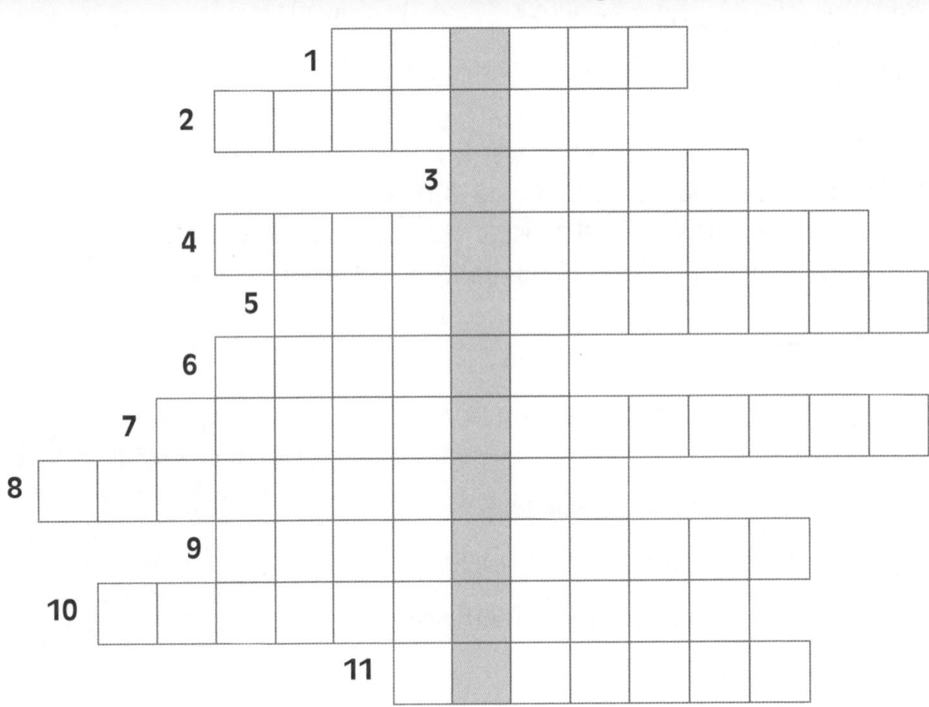

1 Meine Kusine geht in die zwölfte Klasse Gymnasium. Sie macht bald ✱ .

2 Mein ✱ ist ganz gut, nur 2 und 3, in Sport sogar eine Eins.

3 Aber ich bin ziemlich schlecht in Englisch. Zum ✱ habe ich keine Fünf bekommen.

4 Mein Cousin studiert auf der ✱ . Er möchte Arzt werden.

5 Sprichst du Englisch? – Nein, aber ✱ .

6 Meine Eltern arbeiten in einer ✱ .

7 Herr Weiß ist mein ✱ .

8 Gehst du in die Hauptschule? – Nein, in die ✱

9 Ich möchte einmal etwas mit Computern machen. Deshalb möchte ich ✱ studieren.

10 Ich habe zwei ✱ , einen Bruder und eine Schwester.

11 Immer nur die ✱ , ich nicht!

12 Meine Mutter ist ✱ .

Lektion 33-36
Weißt du das noch?

1 Viele Sätze

Schreib Sätze in dein Heft. Verwende dazu aus jedem Kasten ein Wort und ergänze *einen/ein/eine* oder ---. Die Wörter im zweiten Kasten musst du in die richtige Form bringen.

Ich • Wir Alissa • Du Uli und Jan Tobias Die Kinder • Ihr	besuchen • möchte- brauchen • schreiben machen • lesen mitbringen • erzählen malen • einladen	Geschichte • Fahrrad Bleistift • Pferd Buch • Brief Party • Freund CDs • Freunde

Schreib so: Alissa macht eine Party. Ich bringe … mit.

2 Wortsterne

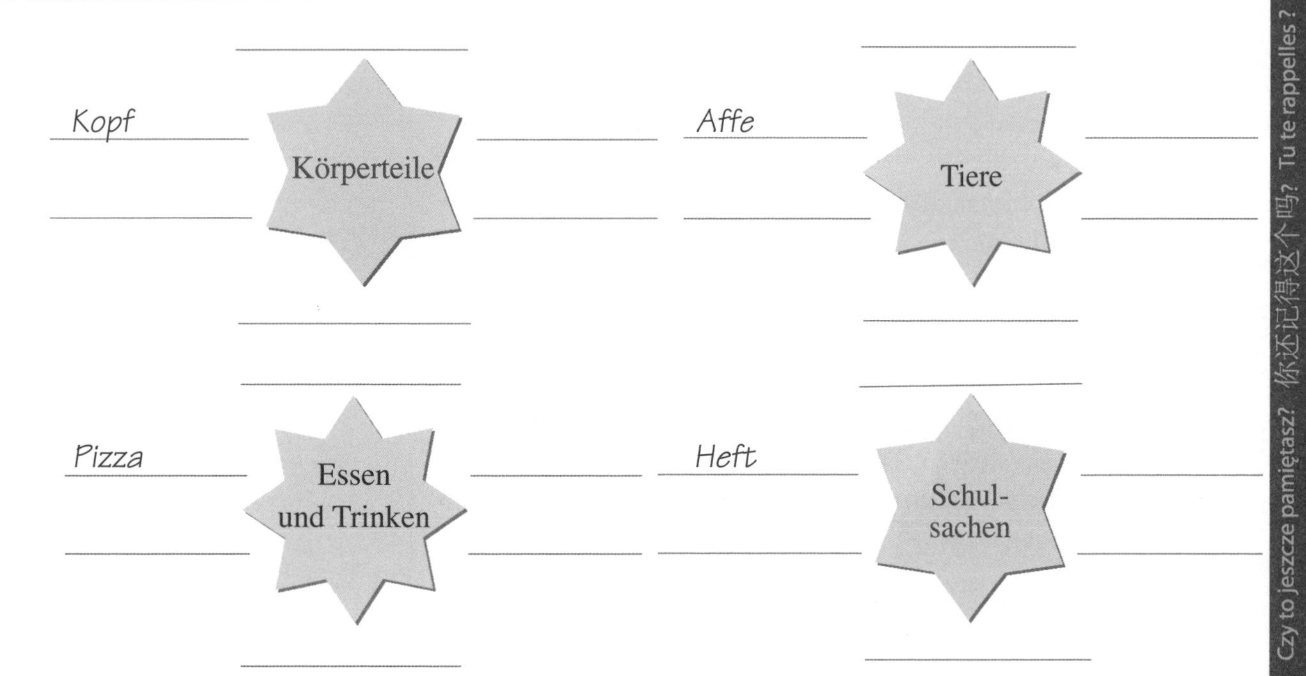

3 Komische Wörter

a) Diese Wörter bestehen eigentlich aus zwei Wörtern. Schreib die Wörter auf Kärtchen. Schneid die Kärtchen auseinander. Wie passen die Wortteile zusammen?

Ohrlehrer → Ohr lehrer	Wochenschule	Fußtennis
Halsaufgaben	Flugsalat	Stundenzeug
Hausschmerzen	Sportsaft	Abendringe
Kartoffelfach	Klassenball	Tischessen
Grundarbeit	Lieblingsende	Orangenplan

b) Schreib die Wörter richtig in dein Heft: Ohrringe, …

_________: Hier kannst du *der, das, die* eintragen.

_ _ _ _ _ _: Hier kannst du die Mehrzahl eintragen.

Themenkreis Schule

Kursbuch Seite 45

Stunde, die, _ _ _ _ _ _ _ _
Sport (als Schulfach)
Musik (als Schulfach)
Kunst (als Schulfach)
Mathematik (als Schulfach)
Deutsch (als Schulfach)

Lektion 33: Mein Stundenplan

Kursbuch Seite 46–48

Stundenplan, _____, Stundenpläne
froh
Lieblings-
Fach, das, Fächer
Lieblingsfach, das, Lieblingsfächer
Englisch (als Schulfach)
besonders
Sachunterricht (als Schulfach)
ehrlich
deshalb
Religion (als Schulfach)
Textilarbeit/Werken (als Schulfach)
Kunstunterricht (als Schulfach)
Ethik (als Schulfach)
frei
mitnehmen
Brief, der, Briefe
Grundschule, die, Grundschulen
Geschichte (als Schulfach)
Beispiel, das, Beispiele
zum Beispiel
ein bisschen
Erdkunde (als Schulfach)
Geografie (als Schulfach)
Physik (als Schulfach)
Chemie (als Schulfach)
Biologie (als Schulfach)
Blume, die, _ _ _ _ _ _ _ _
Baum, der, _ _ _ _ _ _ _ _

Lektion 34: Wie spät ist es?

Kursbuch Seite 49–51

Hausaufgabe, die, _ _ _ _ _ _ _ _
Viertel vor
Viertel nach
aus sein
vor
nach
fünf nach
halb
halb drei
Zahl, die, _ _ _ _ _ _ _ _
früher
pünktlich
duschen
frühstücken
nach Hause
Mittagessen, _____, Mittagessen
Abendessen, _____, Abendessen

Lektion 35: Im Unterricht

Kursbuch Seite 52–54

jung
Turnschuh, _____, _ _ _ _ _ _ _ _
Mal, das, Male
das nächste Mal
kein/keine

Lektion 36: So ist es bei uns!

Kursbuch Seite 55–57

Klassenarbeit, die, Klassenarbeiten
zum Glück
nie
Note, die, _ _ _ _ _ _ _ _
Zeugnis, das, Zeugnisse
schlecht
Deutschland
erzählen
Ingenieur, _____, Ingenieure
Fabrik, die, Fabriken
Sekretärin, _____, Sekretärinnen
Geschwister, die (Mehrzahl)
Hauptschule, die, Hauptschulen
werden
Realschule, die, Realschulen
Künstlerin, _____, Künstlerinnen
Gymnasium, das, Gymnasien
Abitur, das (Einzahl)
Universität, die, Universitäten
Informatik (als Studienfach)
Ordnung, die (Einzahl)
in Ordnung bringen
anderer/anderes/andere
Klassenlehrer, _____, Klassenlehrer

Das habe ich gelernt

hier falten

☺ 😐 ☹

Stundenplan lesen

Am ________________

____

____

Am Dienstag in der dritten Stunde haben wir Deutsch.

☺ 😐 ☹

Vorliebe ausdrücken

Magst ______ Sport?

Magst ______ Kunst ______ ?

Was ist ______ Lieblingsfach?

Mein ________________

____

Magst du Sport?

Magst du Kunst nicht?

Was ist dein Lieblingsfach?

Mein Lieblingsfach ist Mathe.

☺ 😐 ☹

Tagesablauf beschreiben

aufstehen, ________________

______, in die Schule ______,

nach ________________

Mittag ______, ______

______, Abend ______

____

aufstehen, duschen, frühstücken, in die Schule gehen,

nach Hause gehen,

Mittagessen, Hausaufgaben machen, Abendessen, ins Bett gehen

☺ 😐 ☹

auffordern

______ sauber!

______ die Hefte ______!

______ die Blumen!

______ das Fenster ______!

Macht die Tafel sauber!

Sammelt die Hefte ein!

Gießt die Blumen!

Macht das Fenster auf/zu!

☺ 😐 ☹

Personen beschreiben

Wie ______ ?

jung/ ________________

Wie ist dein Lehrer?

jung/alt, nett, freundlich

☞

hier falten

über die Schule sprechen

Wie viele Stunden Musik haben die Schüler?

Wie viele ______ Musik
______ die Schüler?

In welche Klasse geht die Schülerin?

In welche ______
die ______ ?

STUNDENPLAN
MO DI MI DO
Rosi Ott Klasse 4c
Musik
Musik

über Noten sprechen

Ich habe eine Eins in Englisch.
Mein Zeugnis ist gut/schlecht.

Ich habe ______ in
______ . Mein
______ ist gut/schlecht.

Eins ist sehr gut.

Eins ist ______

Klassenarbeit Englisch 1
ZEUGNIS Klasse 5
1= ☺ 6= ☹

Unterrichtsfächer

Deutsch, Mathe(matik), Englisch, Sachunterricht, Kunst(erziehung),

Musik, Sport,

Geschichte, Biologie, Erdkunde/Geografie, Sozialkunde, Physik, Chemie, Informatik

ENGLISCH GRAMMATIK
DEUTSCH

Schulen in Deutschland

Grundschule, Hauptschule, Realschule, Gymnasium, Abitur, Universität

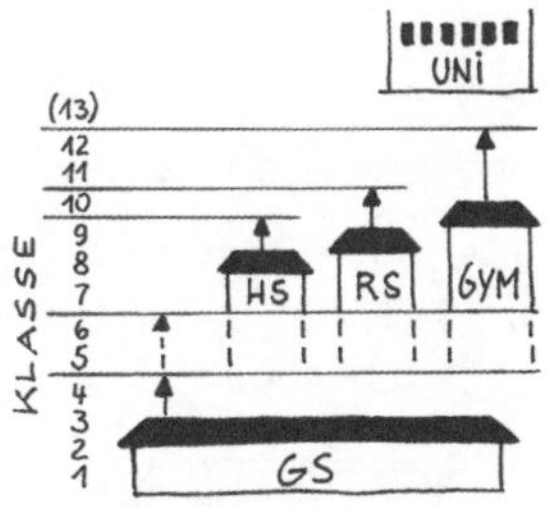

UNI
KLASSE
(13) 12 11 10 9 8 7 6 5 4 3 2 1
HS RS GYM
GS

Berufe

Ingenieur, Sekretärin, Künstler/Künstlerin

Ingenieur, ______

Mein Vater arbeitet in einer Fabrik.

Mein Vater ______
in einer ______

☺	😐	☹

Grammatik-Comic

1 Ergänze: O je! Ich habe

kein • keine • keinen • keine

______ Hut	______ Hemd	______ Mütze	______ Stiefel

2 Schreib die gleichen Wörter wie oben an die richtige Stelle im Comic.

Ich gehe schon mal rein.

Kommst du?

Ja, ich komme gleich. Ich suche nur noch etwas.

Mist! Ich habe ______ Buch dabei. Na gut, dann lese ich eben nicht.

Ich habe auch ______ Ball dabei.

Das macht doch nichts. Ich habe einen Ball.

Ach, ich habe ______ Badeschuhe dabei. Na, egal!

Das gibt's doch nicht!

Was ist jetzt? Komm doch rein!

Ich kann nicht. Ich habe ______ Badehose dabei.

Warte! ich komme raus. Du kannst meine Badehose haben.

Alle meine Tiere

Du kennst schon viele deutsche Wörter und Sätze.

Tiere beschreiben

lieb, ____________________

____

groß, ____________________

____

____________________ Jahre

etwas besitzen

Das ist ____________________

Ich ____________________

____________________ bekommen.

auffordern

Lass mich ____________________!

Macht ____________________

____

____

____

Haustiere

Hund, ____________________

____

____

____

Tageszeiten

Morgen, ____________________

____

____

Lektion 37
Haustiere

Haustiere / Mehrzahl / etwas besitzen

K

1 Bilderlotto

1–2 Schneid aus (Seite 115) und leg auf.

Hund	Schaf	Schildkröte
Papagei	Schwein	Maus
Hase	Meerschweinchen	Gans
Wellensittich	Pony	Kuh

2 Viele Tiere

1–2

▲ Du, ich habe jetzt eine Katze.
● Was? Nur eine Katze?
Wir haben drei Katzen!

▲ Ich habe auch einen Papagei.
● Mein Opa hat zwei Papageien.

▲ Wir haben jetzt auch eine Kuh.
● Nur eine Kuh?
Mein Onkel hat zwanzig Kühe.

a) Bilde die Mehrzahl der Tiere und schreib Einzahl und Mehrzahl in dein Heft.

+ n	Katze →	Katzen	**ebenso:** Schildkröte, Hase
+ en	Papagei →	Papageien	
+ ¨e	Kuh →	Kühe	**ebenso:** Gans, Maus
+ e	Hund →	Hunde	**ebenso:** Wellensittich, Schaf, Schwein
+ s	Pony →	Ponys	
---	Meerschweinchen →	Meerschweinchen	

b) Mach weitere Dialoge wie oben.

beschreiben / Verkleinerung *-chen* / Tageszeiten

K

3 Was passt zusammen?

3–4 Ordne die Antworten den Fragen zu. Rechenrätsel!

A Wie ist ein Elefant?
B Wie alt ist Julias Katze?
C Wer hat ein Meerschweinchen?
D Welche Farbe hat dein Hase?
E Ist dein Papagei grau?
F Wo ist denn die Maus?

1 Zehn Monate.
2 Er ist grau und weiß.
3 Nein, bunt.
4 Groß.
5 Im Käfig.
6 Vera.

4 Welche Farbe haben die Tiere?

4–5 Mal die Tiere so an:

Der Hund ist schwarz und braun.
Das Hündchen ist braun.
Die Katze ist rot und weiß.
Das Kätzchen ist schwarz und weiß.

Der Hase ist braun und weiß.
Das Häschen ist grau und weiß.
Die Maus ist grau, das Mäuschen auch.
Das Schweinchen ist rosa.
Das Schwein ist rosa und grau.

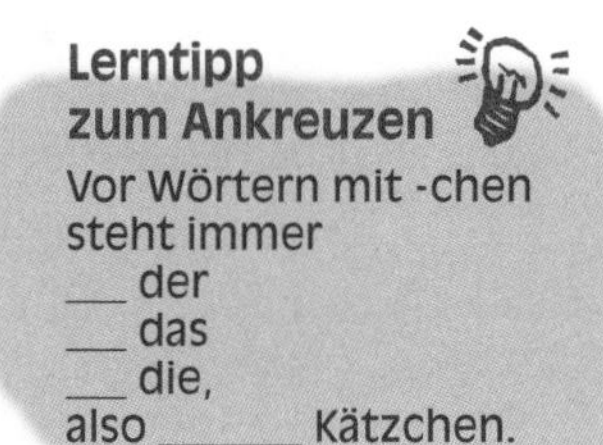

K

5 Ich bin Mimi

6–8 Hallo, ich bin Mimi. Also, (1) bin ich bei Hanna. Das ist toll. Hanna ist (2). Am Morgen (3) mir Hanna Futter. Dann geht Hanna in die (4) und ich schlafe. Am Mittag (5) ich Wasser. Dann (6) ich wieder ein bisschen. Am Nachmittag darf ich mit Hanna (7). Das macht (8). Manchmal darf ich auch (9). Am Abend bekomme ich (10). Dann schlafe ich wieder.

a) Jede Nummer im Text ist ein Wort. Hier sind die Wörter. Schreib die Nummern. Richtig? Zähl die Zahlen zusammen.

___ gibt + ___ schlafe + ___ spielen + ___ bekomme + ___ spazieren gehen **= 30**
___ lieb + ___ jetzt + ___ Milch + ___ Schule + ___ Spaß **= 25**

b) Schreib die Geschichte richtig in dein Heft.

6 Tagesablauf

6–8 **a)** Schreib die Tageszeiten der Reihe nach auf.

Abend • Mittag • Morgen • Nacht • Vormittag • Nachmittag

1 am Morgen	**4** am ____________
2 am ____________	**5** am ____________
3 am ____________	**6** in der ____________

b) Wann machst du das? Schreib die Nummern der Tageszeiten zu den Tätigkeiten:

Unterricht haben	______	frühstücken	______
aufstehen	______	spielen	______
essen	______	Hausaufgaben machen	______
schlafen	______	ins Bett gehen	______
fernsehen	______	lernen	______

c) Schreib Sätze in dein Heft:

Am Morgen stehe ich auf.

Am Nachmittag sehe ich …

d) Schreib Quatsch-Sätze. Beispiel:

In der Nacht mache ich Hausaufgaben.

7 Gedicht: Immer nur ich!

9

Papa sagt:
Du darfst jetzt nicht fernsehen.
Du musst Mathe lernen.
Mama sagt:
Du darfst jetzt nicht spielen.
Du musst Gitarre üben.
Warum darf Jan fernsehen und spielen*?*
Warum muss Jan nicht Mathe lernen
und Gitarre ________*?*
Warum immer nur ich?

a) Ergänze das Gedicht.

b) Auch Maja und Tina schreiben so ein Gedicht.
Schreib in dein Heft:

Papa sagt:

Ihr dürft jetzt nicht fernsehen ...

Finde selbst die Namen von zwei Freundinnen.

c) Schreib weitere Gedicht-Strophen mit anderen Tätigkeiten in dein Heft.

So viele Tiere!

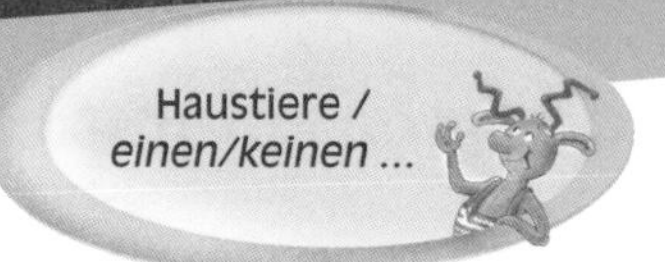

1 Was für ein Tier ist das?

1 Manche Felder haben Punkte. Mal diese Felder aus. Was für ein Tier ist das? Schreib auf.

1 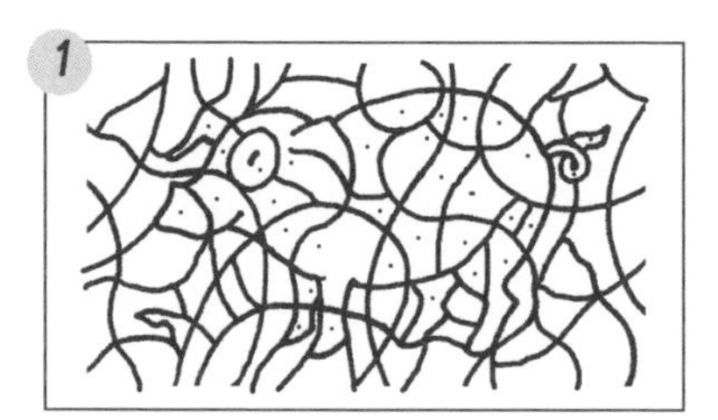

ein ____________

2 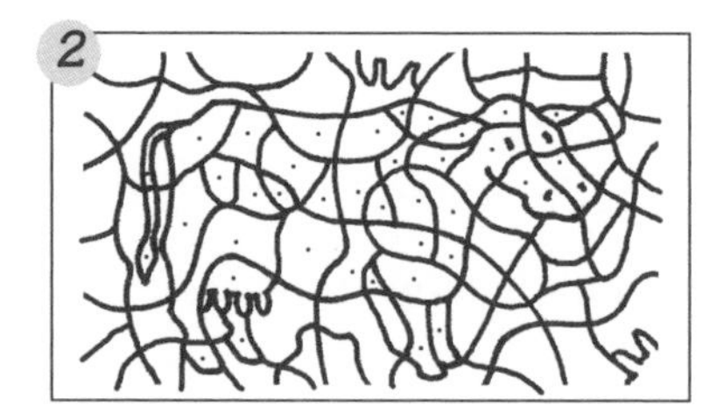

____

3 

____

4 

____

5 

____

6 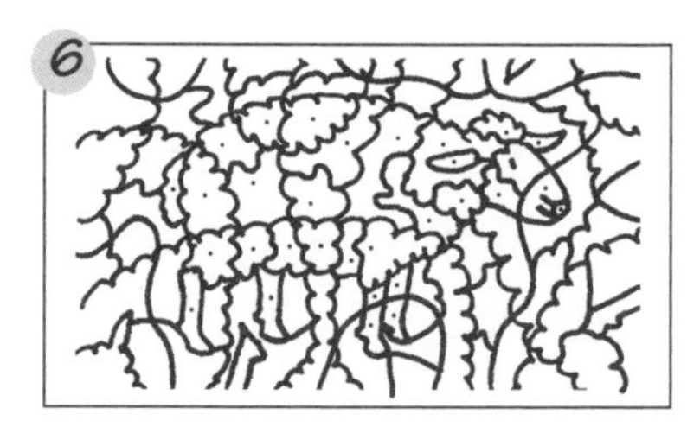

____

K

2 Was passt zusammen?

1–2 Ordne die Antworten den Fragen zu. Schreib die Buchstaben unten auf.

1 Was für ein Tier ist das?
2 Welche Farbe hat ein Wellensittich?
3 Wie viele Tiere hast du?
4 Was frisst eine Schildkröte?
5 Wer hat einen Hund bekommen?
6 Warum frisst deine Katze nicht?
7 Wie heißt Peters Katze?

H Ich habe gar keine Tiere.
E Oma.
I Sie ist krank
S Ein Pony.
N Minni.
W Salat.
C Blau, grün, gelb oder weiß.

Lösung: ___ ___ ___ ___ ___ ___ ___
1 2 3 4 5 6 7

3 Gleich oder nicht gleich?

2

A 

B 

Vergleiche die beiden Bilder.
Schreib in dein Heft:

Anna hat einen Hasen, eine Katze …

Schreib auch so:

Berta hat keinen Hasen …

Sie hat auch einen …

4 Hanna kommt nach Hause

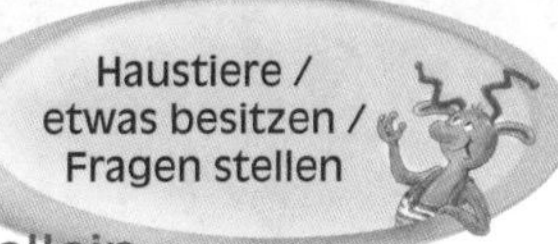

3 **a)** Hanna spricht mit Mama. Ergänze, was Mama sagt. Probier's zuerst allein.
Wenn dir das zu schwer ist, kannst du gleich Aufgabe b machen.

▲ Hallo, Mama! Du kennst doch Lilly. Du, die haben ganz viele Tiere.

● ______________________________

▲ Acht.

● ______________________________

▲ Also, einen Hund, eine Katze, ein Meerschweinchen, einen Hasen, eine Schildkröte, ein Pony, einen Wellensittich und einen Papagei.

● ______________________________

▲ Ja, der kann ganz toll sprechen.

● ______________________________

▲ Der Wellensittich auch. Er ist wirklich lustig. Das Meerschweinchen ist auch nett. Aber es ist zu dick.

● ______________________________

▲ Es frisst zu viel. Stefan füttert das Meerschweinchen zu oft.

● ______________________________

▲ Nein, es gehört Stefan. Das ist Lillys Bruder.
Und dann gibt es noch Frieda, die Schildkröte und …

● ______________________________

▲ Nein, die Schildkröte gehört Lilly. Frieda ist so lieb.
Mama, ich möchte auch eine Schildkröte.

● ______________________________

▲ Ja, eine Schildkröte wie Frieda.

● Nein, nein. Du hast ja gerade erst eine Katze bekommen.

▲ Na gut.

b) Das sagt Mama. Schreib die Fragen an die richtige Stelle.

● Wie viele denn?
Warum denn?
Kann der Papagei sprechen?
Was? Eine Schildkröte?
Gehört das Meerschweinchen nicht Lilly?
Und der Wellensittich?
Gehört die Schildkröte auch Stefan?
Was für Tiere denn?

5 Planetinos Tiere

beschreiben / *mir – dir*

➲ 4 **a)** Mal Planetinos Pferd an, wie du möchtest.

groß • klein
lang • kurz
dick • dünn
rot • blau • …
nett • lieb • süß • doof

b) Beschreib Planetinos Pferd. Schreib in dein Heft.
Schreib so: Planetinos Pferd ist …
Der Kopf ist … Die Antennen sind … Die Beine …

c) Nun mal auch Planetinos Hund an. Tausch das Arbeitsbuch mit deinem Partner.
Beschreib jetzt den anderen planetanischen Hund. Schreib auf ein Blatt.

d) Tauscht wieder die Arbeitsbücher und die Blätter und kontrolliert gegenseitig.

6 Was gehört dir?

➲ 5

a) ▲ Ivona, gehört dir die Katze? ● Nein, die Katze gehört ________ nicht.

b) ▲ Tina, gehört dir der Hase? ■ ______________________________

c) ▲ Udo, gehört _______ der Hund? ◆ ______________________________

d) ▲ Ali, ____________ _____ die Maus? ❖ ______________________________

Such den Weg und ergänze Frage und Antwort.

K 7 Lora, der Papagei

➲ 1–6

„Ich bin Lora. Alle Tiere sind (a) doof. Nur ich nicht. – „Lora, sei (b)!“ – „Nein, nein. Der Hund ist (c).“ – „Lora, kannst du nicht (d)? Der Hund ist intelligent!“ – „Nein. Und die Schildkröte ist (e)“ – „Lora, du bist (f).“ – „Nein, ich bin ganz (g).“ – „Ach, Lora!“

Welche Wörter fehlen im Text? Schreib die Zahlen auf und rechne.

1 ziemlich • 2 normal • 3 verrückt • 4 ruhig • 5 langsam • 6 dumm • 7 aufhören

___ + ___ + ___ – ___ + ___ + ___ – ___ = 10
a b c d e f g

Wo ist Mimi?

Erzählen / Berichten / Perfekt

K

1 Kreuzworträtsel

1–3 Löse das Rätsel. Die Silben helfen dir.

Ad • an • Baum • chen • chen • fen • fra • gen • Kat • res • rig • ru • Sa • se • su • trau • Wie • ze

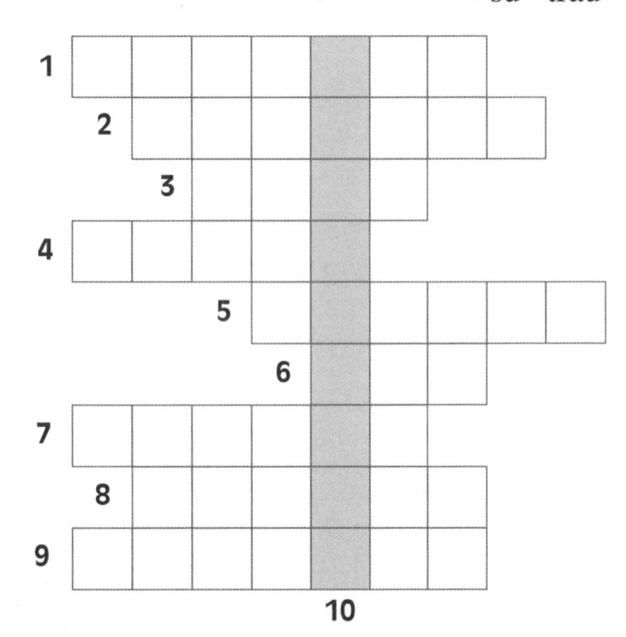

1 Hast du ein Handy? Ich möchte dich ___ .
2 Meine ___ ist: Schulstraße 3.
3 Im Garten ist ein ___ . Er hat viele Äpfel.
4 Eine ___ macht „miau".
5 Die Schüler ___ : „Wann ist Pause?"
6 ___ sieht dein Papagei aus?
7 Mein Buch ist weg. Ich muss es ___ .
8 Was machst du nur für ___ ?
9 Mein Vogel ist weg. Ich bin so ___ !
10 Die ___ kann helfen.

2 So steht es in der Zeitung

1–3

A **Na so was!**
Heute morgen, um sieben Uhr Anruf bei der Feuerwehr: Der Direktor des Zirkus Tamburelli ist am Zrkrdpm. Tiger Nestor ist weg! Die Feuerwehr muss sofort los und den Tiger aivjwb. Mehrere Leute haben Nestor schon gesehen. Und alle haben Smhdr. Um zehn Uhr gomfrz ein Feuerwehrmann endlich den Tiger. Nestor ist wohl müde, denn er schläft. Dompteur Marco kann den Tiger einfach nurmwgnwm.

B **Mein Hund ist schon drei Tage weg.**
Er ist zwei Jahre alt, klein, schwarz-weiß und jroßr Lumpi. Wer hat Lumpi hwdwjwm? Bitte melden! Tel. 773815

C Was für eine Woche für die Feuerwehr!
Diese Woche sind wohl alle Tiere crttpvxl. Hunde und Katzen ösigwm weg. Vögel dkuwhwb weg. Und immer muss die Feuerwehr jrögrb.
Das hat die Feuerwehr diese Woche gemacht: zehn Cähwk gefangen, achtmal auf Vöznr geklettert und Katzen runtergeholt, sechs Hunde aus dem Wasser geholt und einen Affen gesucht.

a) In der Zeitung sind viele Druckfehler. Wie heißen die Wörter wirklich? Mach die Texte richtig. Probier's zuerst allein.

b) Zu schwer? Hier sind die Wörter:

findet • Angst • suchen • mitnehmen • Telefon • gesehen • heißt • Vögel • helfen • laufen • Bäume • verrückt • fliegen

c) Deine Katze ist weg. Schreib eine Anzeige wie Text B.

K 3 *Was passt zusammen?*

➲ 3–4

a Hol bitte die Hefte!
b Du darfst das Turnzeug nicht vergessen.
c Wann kommt Opa?
d Was suchst du denn?
e Kann deine Katze klettern?
f Dürfen wir gehen? Kannst du mal Mama fragen?
g Ich möchte den Film „Momo“ sehen.

1 Er ist doch schon gekommen.
2 Ich habe sie schon gefragt.
3 Ich habe sie schon geholt.
4 Ja, sie ist immer sehr gut geklettert.
5 Ich habe es aber vergessen.
6 Ich habe ihn schon gesehen.
7 Ich habe gar nichts gesucht.

a) Was gehört zusammen? Schreib die Nummern. Rechenrätsel.

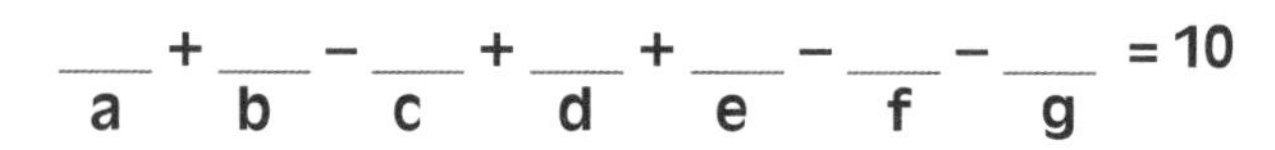

___ + ___ – ___ + ___ + ___ – ___ – ___ = 10
a b c d e f g

b) Schreib die passenden Sätze in dein Heft.

K 4 *Was ist richtig?*

➲ 3–4

Schreib die Buchstaben unten auf.

1 Warum hast du deinen Freund nicht | geholt? (H) / angerufen? (K) / gesehen? (L) | – Mein Handy ist kaputt.

2 Hast du deine Freundin | gesucht? (U) / geholt? (O) / gefragt? (A) | – Ja. Aber sie kann leider nicht mitkommen.

3 Wo ist denn dein Bruder? – Er ist noch nicht nach Hause | runtergekommen. (J) / geklettert. (S) / gekommen. (T)

4 Kathi, hast du mein Buch | gesehen? (Z) / gehört? (N) / gefragt? (B) | – Nein, tut mir leid.

5 Da bist du ja! Ich habe dich | geholt. (R) / gesucht. (E) / gesehen. (I) | – Warum? Ich war bei Oma.

Lösung: Hast du meine ___ ___ ___ ___ ___ gesehen?
1 2 3 4 5

K

5 Was für ein Tier ist das?

Perfekt / ... war / Erzählen

4 Lies die Sätze und such im Bild die passenden Nummern. Immer nur ein Wort ist richtig. Mal diese Felder aus. Dann entsteht ein Tier.

(1) du meinen Hund gesehen?

Die Katze (2) auf den Baum geklettert.

Ich (3) zum Geburtstag ein Buch bekommen.

Papa (4) heute Pizza geholt.

Wir (5) Musik gehört.

Heute (6) Oma gekommen.

Die Kinder (7) den Hund gesucht.

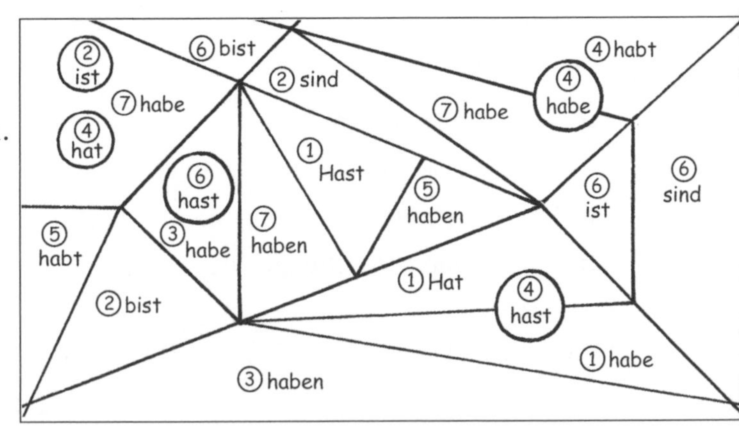

6 Wie war's?

4 Ordne den Dialog. Schreib die Nummern.

___ Zu Hause?

___ Was? Jakob auch? Und ich war nicht da. Schade.

_1_ Hallo, Lisa. Da bist du ja! Ich habe dich gesucht.

___ Und wie war's?

___ Ich war zu Hause.

___ Ja, meine Tante Claudia war da.

___ Ganz nett. Mein Cousin Jakob war auch da.

7 Mimi

4

1 Hallo, Ich bin Mimi. Ich bin eine Katze. Ich gehöre Hanna. Ich bin gern bei Hanna. Aber immer zu Hause, wie langweilig.

2 Heute war ich im Garten. Da ist Pinky gekommen. Pinky ist die Katze von Frau Graf. Ich kenne Pinky gut. Pinky hat mich gefragt: „Möchtest du mitkommen?“ Ich habe sofort Ja gesagt.

3 Zuerst haben wir Mäuse gesucht. Aber da war nichts.

4 Dann sind wir auf einen Baum geklettert. Wir haben nämlich einen Vogel gesehen. Aber der Vogel war schnell weg. Pinky hat gesagt: „So ein Mist!“ und war auch gleich weg. Und ich bin nicht mehr runtergekommen.

5 Hanna hat mein „miau“ gehört und hat die Feuerwehr angerufen. Ein Feuerwehrmann hat mich geholt. Ich war so froh!

a) Lies die Geschichte und schau die Bilder an. Schreib die Nummern zu den Bildern.

b) Erzähl die Geschichte. Schreib in dein Heft: Das ist Mimi. Mimi ist eine …

⚠ mich → Mimi mein → Mimis

Lektion 40
Tiere und ihre Freunde

Können ausdrücken / den/einen – das/ein – die/eine

1 Wer kann was?

➲ 1 Schreib zehn Sätze in dein Heft. Du kannst auch Quatsch schreiben.

Ich	kann	nicht	schwimmen
Meine Eltern	kannst	gut	reiten
Leos Oma	können	nicht gut	Rad fahren
Du	könnt	schnell	Fußball spielen
Wir		…	klettern
Pferde			laufen
Ihr			rechnen
Mein Hund			singen

2 Meine Tiere

➲ 2–4 **a)** Setz ein: *der/den – das – die* oder *ein/einen – ein – eine.*

a Sieh mal, da kommt ______________ Hund.

Gehört __________ Hund dir?

b Ich möchte so gern ________________ Papagei haben. Aber so ___________

Papagei ist zu teuer, sagt meine Mutter. Schade, ___________ Papagei von Toni ist so lustig.

c Sieh mal, __________ Wellensittich da ist ja süß. __________ möchte ich haben.

d Ach, ____________ Katze von Marco ist so lieb. Ich wünsche mir auch __________ Katze.

So ___________ Katze wie _________ Katze von Marco.

Wer hat ___________ Kätzchen für mich?

e Ich finde ___________ Schwein von Laura so nett. – Was? Laura hat ________ Schwein? –

Ja, __________ Schwein heißt Olga. – Na ja, _________ Schwein zu Hause, geht das?

b) Wohin passen die Sätze? Schreib die Zahlen. Rechenrätsel!

1 Dann musst du oft zu Toni gehen.
2 Ja, er ist ganz lieb.
3 Frag doch Thea. Theas Katze hat vier Kätzchen.
4 Warum nicht? Sie haben einen Garten. Der ist groß.
5 Darfst du denn einen Vogel haben?

___ – ___ + ___ + ___ – ___ = 5
 a   b   c   d   e

c) Schreib die Sätze von Aufgabe a und b richtig in dein Heft.

3 Das große Tier-Rätsel

⮌ 4–5

a) Schreib die Wörter ins Kreuzwortgitter.

1 Sie kann schwimmen.
2 Er ist der König der Tiere.
3 Er ist klein und kann fliegen.
4 Sie gibt Milch.
5 Er ist groß und braun. Er mag Honig.
6 Sie frisst Mäuse.
7 Sie ist klein und hat Angst vor der Katze.
8 Es ist dick und rosa.
9 Es sitzt im Käfig und frisst gern Obst.
10 Es ist weiß und macht „määh“.
11 Er ist schwarz, weiß oder braun und mag oft keine Katzen.
12 Er ist braun oder grau. Die Ohren sind lang.
13 Er ist klein und bunt und kann fliegen.
14 Er ist eine große Katze. Er ist gelb und schwarz.
15 Kinder reiten gern darauf.
16 Sie ist ein Vogel. Sie ist groß und weiß.
17 Er kann klettern.
18 Er kann fliegen und sprechen.
19 Er ist groß und grau. Die Zähne und Ohren sind groß.
20 Es ist groß. Man kann darauf reiten.
21 Sie läuft langsam und frisst Salat.

b) Welche Tiere sind bei euch Haustiere? Schreib in dein Heft.

Lektion 37-40
Weißt du das noch?

1 Was ist das denn?

Ergänze die Sätze. Verwende *ein/einen – ein – eine – (--)* oder *kein/keinen – kein – keine.*

a) Ist das __________ Hund? – Nein, das ist doch __________ Hund.
Das ist __________ __________________.

b) Hat Eva __________ Bleistift? Nein, sie hat doch __________ Bleistift. Sie hat __________ __________________.

c) Kommt da __________ Frau? – Nein, da kommt doch __________ Frau.
Da kommt __________ __________________.

d) Schwimmen da __________ Robben? – Nein, da schwimmen doch __________ Robben. Da schwimmen __________________.

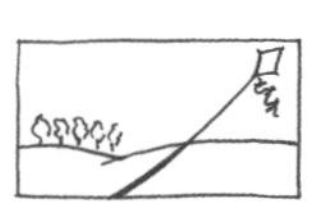

e) Fliegt da __________ Flugzeug? – Nein, da fliegt doch __________ Flugzeug. Da fliegt __________ __________________.

f) Isst Moritz __________ Orange? – Nein, er isst doch __________ Orange. Er isst __________ __________________.

g) Zeichnest du __________ Pferd? – Nein, Ich zeichne doch __________ Pferd. Ich zeichne __________ __________________.

2 Wann? Wann? Wann?

a) Ergänze *am – um – in.*

1 Hanna macht __________ Samstag eine Party.

2 Ich habe __________ ersten Mai Geburtstag.

3 Die Kinder spielen __________ halb vier Volleyball.

4 Wir haben __________ der dritten Stunde Deutsch.

5 Das Mittagessen ist __________ eins fertig.

b) Stell die Sätze um. Schreib die Sätze in dein Heft. Schreib so: Am Samstag macht …

Wortliste

________: Hier kannst du *der, das, die* eintragen.

_ _ _ _ _ _: Hier kannst du die Mehrzahl eintragen.

Themenkreis
Alle meine Tiere
Kursbuch Seite 59

Sprache, die, Sprachen

Lektion 37: Haustiere
Kursbuch Seite 60–63

Haustier, das, _ _ _ _ _ _ _ _
Meerschweinchen, ______, Meerschweinchen
Hase, ______, Hasen
Schwein, ______, Schweine
Maus, ______, Mäuse
Wellensittich, ______, Wellensittiche
Schaf, ______, Schafe
Gans, ______, Gänse
Kuh, ______, Kühe
Was für ein ...?
welcher/welches/welche
Kätzchen, ______, Kätzchen
Monat, der, Monate
Häschen, ______, Häschen
Käfig, der, Käfige
Mäuschen, ______, Mäuschen
Aufgabe, die, Aufgaben
Mittag, der, Mittage
am Mittag
Vormittag, der, Vormittage
am Vormittag
füttern
spazieren gehen
in Ordnung
aufpassen
okay

Lektion 38: So viele Tiere!
Kursbuch Seite 64–66

verrückt
fressen
aufhören
gehören
ruhig
Sei ruhig!
Band, die, Bands
ziemlich
bunt
langsam
dumm

Lektion 39: Wo ist Mimi?
Kursbuch Seite 67–68

suchen
anrufen
traurig
fragen
war

Lektion 40: Tiere und ihre Freude
Kursbuch Seite 69–71

beschreiben
Ja, gleich.
leben

Das habe ich gelernt

hier falten

☺	😐	☹

beschreiben

__________ ist zehn

Wochen ______ .

______ vier Monate ______ .

Er/Es/Sie ist bunt, lieb,

____

______ normal, ______

Der Hund ist zehn Wochen alt.
Die Katze ist vier Monate alt.

Er/Es/Sie ist bunt, lieb, süß, dick, schnell, dumm, lustig, normal, verrückt

☺	😐	☹

etwas besitzen

Was für ______ bekommt

Mia? Gehört ______

__________ ?

Nein, er ______

____

Hast du ______ ?

Nein, ich ______

____

Ich ______

Was für ein Tier bekommt Mia?
Gehört dir der Papagei?

Nein, er gehört mir nicht.

Hast du ein Pony?

Nein, ich habe kein Pony.

Ich habe ein Pferd.

☺	😐	☹

jemanden auffordern

Sei ______ !

Ihr müsst ______

Komm ______ !

Hör ______ !

Sei ruhig!

Ihr müsst aufpassen.

Komm rein!

Hör auf!

hier falten

Hase, Wellensittich, Meerschweinchen, Schwein, Schaf, Gans, Kuh, Hund, Papagei, Pony, Katze, Schildkröte, Maus

Haustiere

Hase, ____________________

____

____

____

____

____

____

☺	😐	☹

Morgen, Vormittag, Mittag, Nachmittag, Abend, Nacht

Tageszeiten

Morgen, ____________________

____

____

____

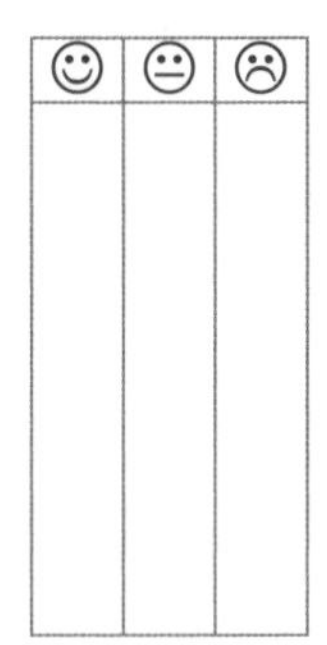

Grammatik-Comic

1 Ergänze:

ich mache zu	ich ________ zugemacht
ich sehe	ich habe ________
ich vergesse	________ vergessen
ich sage	________
ich höre	________ gehört

du machst zu	du hast ________
du siehst	________ gesehen
du vergisst	________
du sagst	________ gesagt
du hörst	________

2 Schreib die gleichen Wörter wie oben an die richtige Stelle im Comic.

K

1 Bilderlotto

A1 – 2 Schneid aus (Seite 115) und leg auf.

Ärztin	Ingenieur	Künstler	Lehrer
Metzger	Pilot	Bäuerin	Schauspieler
Architekt	Scherenschleifer	Techniker	Sekretärin

2 Berufe für Mann und Frau

A1 – 2 Ergänze die Tabelle.

Mann	Frau
Arzt	
	Pilotin
Bauer	
	Künstlerin
Architekt	
Lehrer	

3 Was möchtest du werden?

A1 – 2 Ergänze die Sätze.

a) Ich möchte einmal ________________ werden. Ich fliege gern.

b) Ich spiele gern Theater. Ich möchte ______________________ werden.

c) Ich möchte einmal ________________ werden. Ich mag Kinder.

d) Ich möchte Kranken helfen. Ich möchte ________________ werden

e) Ich möchte ________________ werden. Ich male und zeichne gern.

4 Das Märchen „Hans im Glück"

➲ B

a) Schau die Bilder an. Lies die Fragen. Kannst du die Geschichte erzählen? Zu schwer? Dann mach gleich Aufgabe b.

1 Wer hat sieben Jahre lang gearbeitet?
2 Was möchte er jetzt machen?
3 Was bekommt Hans?

4 Warum ist Hans bald müde?
5 Wer kommt da?
6 Was nimmt Hans und was bekommt der Reiter?

7 Was kann Hans nicht gut?
8 Wer kommt?
9 Wer gibt Hans eine Kuh und nimmt das Pferd?

10 Warum gibt die Kuh keine Milch?
11 Wer kommt?
12 Wer nimmt die Kuh und gibt Hans das Schwein?

13 Wer kommt? Was hat er?
14 Was machen Hans und der Junge?

15 Wer sieht einen Scherenschleifer?
16 Wie findet Hans die Arbeit?
17 Was gibt der Scherenschleifer Hans?
18 Was gibt Hans her?

19 Wer möchte Wasser trinken?
20 Was fällt ins Wasser?
21 Warum ist Hans froh?
22 Was macht Hans jetzt?

b) Lies noch einmal die Fragen. Nun schreib die Antworten.
Die Fragen helfen dir. Auf jede Linie gehört ein Wort.

1 Hans hat ________ ________ lang gearbeitet.

2 Jetzt ________ ________ wieder nach Hause.

3 ________ ________ ein Stück Gold.

4 ________ ________ bald ________, denn das Gold ist schwer.

5 Da ________ ________ ein Reiter.

6 ________ ________ das Pferd und ________ Reiter ________ das Gold.

7 Aber ________ ________ ________ ________ reiten und fällt herunter.

8 Da ________ ein Bauer.

9 Der Bauer ________ Hans ________ ________ und ________ ________ ________ .

10 ________ ________ ________ ________ ________, denn sie ist schon alt.

11 Da ________ ein Metzger.

12 Der Metzger ________ ________ ________ und ________ Hans ________ ________.

13 Da ________ ein Junge. ________ ________ eine Gans.

14 ________ ________ ________ ________ tauschen.

15 Hans ________ ________ Scherenschleifer.

16 ________ ________ ________ ________ interessant.

17 Der Scherenschleifer ________ ________ einen Stein.

18 Und ________ ________ die Gans her.

19 Hans ________ ________ ________.

20 Da fällt der Stein ins ________.

21 ________ ________ ________, denn der Stein war so schwer.

22 ________ geht ________ nach Hause.

Wortliste

________: Hier kannst du
der, das, die eintragen.

Theater

Kursbuch Seite 73

Architekt, _____, Architekten
Architektin, _____, Architektinnen
Schauspieler, _____, Schauspieler
Schauspielerin, _____,
Schauspielerinnen
Lehrer, _____, Lehrer
Techniker, _____, Techniker
Ärztin, _____, Ärztinnen
verkaufen
Fleisch, das (Einzahl)

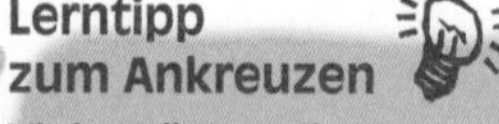

Lerntipp zum Ankreuzen

Viele Wörter, die Frauen oder Frauenberufe benennen, haben die Endung *-in*.
Die Mehrzahl ist
__ -in + er
__ -in + nen.
Beispiel: Freundin → ____________

Lesen

1 Krank! (nach Lektion 23)

Liebe Laura,
wann kommst Du denn wieder? Ich warte schon auf Dich. Allein am Tisch ist es so langweilig in der Schule. Deine Anna

Hallo Laura,
schade, dass Du immer noch krank bist. Morgen kommt nämlich ein Clown in die Klasse. Der macht bestimmt viel Quatsch. Ich mache ein Foto für Dich.
Viele Grüße, Dein Marek

Liebe Laura,
jetzt bist Du schon eine Woche weg. Wie lange musst Du noch im Bett bleiben? Du musst schnell wieder gesund werden. Gute Besserung!
Dein Carlos

Hallo Laura,
musst Du noch lange zu Hause bleiben? Ich kann Dir die Hausaufgaben bringen. Möchtest Du?
Bis bald, Deine Semra

a) Lies die Sätze. Wie steht es im Text? Unterstreich genau so.

1 Morgen kommt Besuch in die Schule.
2 Laura ist schon sieben Tage krank.
3 Eine Freundin möchte die Hausaufgaben bringen.

b) Wie lange ist Laura wohl noch krank? Das möchten drei Kinder wissen. Mach Kreuzchen.

____ Anna ___ Marek ___ Carlos ___ Semra

c) Was ist richtig? Mach Kreuzchen.

1 Marek möchte ein Foto machen. Er fotografiert
- die Schule. ☐
- den Clown. ☐
- Laura. ☐

2 Laura ist nicht da.
- Also findet Anna die Schule langweilig. ☐
- Also muss Anna warten. ☐
- Also muss Laura kommen. ☐

3 Laura ist krank. Carlos schreibt:
- Bleib im Bett! ☐
- Komm bald wieder. ☐
- Gute Besserung. ☐

4 Semra möchte
- die Hausaufgaben machen. ☐
- Laura besuchen. ☐
- zu Hause bleiben. ☐

2 Anzeigen (nach Lektion 25)

Anzeige 1

Reitschule „Ponyhof Seeblick"
Hallo, Kinder! Möchtet Ihr mit Spiel und Spaß richtig reiten lernen? Brave Ponys in allen Größen warten auf Euch.
Der Unterricht findet in kleinen Gruppen statt.
Anfängerkurs, 10 Stunden, für nur 60,- €
Weitere Infos: www.ponyhof-seeblick.at

Anzeige 2

MALSCHULE „GRÜN-GELB-ROT"
Hast Du Spaß am Malen oder Zeichnen?
In unseren Kursen kannst Du viel Neues kennenlernen. Wochenend-Kurse dauern zweimal vier Stunden.
Acht-Wochen-Kurse immer Di, 2 Std.
Anmeldung: info@malschule-ggr.de

a) Was ist richtig? Kreuz an.

Anzeige 1: Das ist eine Anzeige

- für Ponys ☐
- für Reitunterricht ☐
- für Spiel und Spaß ☐

b) Was ist richtig? Kreuz an.

Anzeige 2: Das ist eine Anzeige

- für Malen und Zeichnen ☐
- für Kinder und Eltern ☐
- für Stunden und Wochen ☐

c) Was ist richtig? Was ist falsch? Kreuz an.

		richtig	falsch
1	Die Ponys sind klein und groß.		
2	Ein Anfängerkurs kostet 10 Euro.		
3	In einer Reitgruppe sind 50 Kinder.		
4	Die Malschule heißt „Ponyhof".		
5	Es gibt Malkurse am Samstag und Sonntag.		
6	Die Acht-Wochen-Kurse sind am Donnerstag.		

LESETIPP:
Der Titel sagt oft etwas über den Inhalt der Geschichte. Das hilft Dir beim Verstehen.

3 Geburtstagskinder (nach Lektion 30)

Geburtstagskinder

**Die Kinder-Illu hat Geburtstag! Am 17. Mai ist unsere Kinder-Illu zehn Jahre alt. Deshalb haben wir in der April-Ausgabe gefragt: Wer feiert mit? Wer wird, wie unsere Kinder-Illu, am 17. Mai zehn Jahre alt?
Wir haben 27 Briefe bekommen. Hier sind drei davon. Aber keine Sorge: Alle Geburtstagskinder bekommen ein Geschenk.**

Hallo, ich bin Lea. Am 17. Mai werde ich zehn Jahre alt. Ich lese gern. Hoffentlich bekomme ich zum Geburtstag viele Bücher. Die liest dann auch meine Schwester.

Ich bin David. Ich habe am 17. Mai Geburtstag. Dann bin ich zehn. Mein Bruder Ilja hat am 11. Mai Geburtstag. Wir feiern immer zusammen. Ilja ist schon zwölf.

Ich heiße Maria und bin bald zehn Jahre alt. Mein Geburtstag ist am 17. Mai. Meine Hobbys sind Schwimmen und Reiten. Ich mag Tiere. Zum Geburtstag wünsche ich mir einen Hund.

a) Lies den Titel. Worum geht es in den Texten? ☐ Schule ☐ Geburtstag

b) Beantworte die Fragen: 1 Wie alt ist die Kinder-Illu?
2 Wie viele Briefe hat die Kinder-Illu bekommen?

c) Lies die Texte genau.
1 Dann ergänze die Tabelle. R = richtig, F = falsch, ? = weiß nicht, steht nicht im Text

	Lea	David	Maria
ist am 17. Mai zehn Jahre alt			
hat Bruder oder Schwester			
schwimmt gern			
Hobby: Lesen			
möchte ein Tier			

2 Unterstreich die Stellen in den Texten.

4 ______________________ *(nach Lektion 36)*

Noah
Ich habe mir schon gedacht, dass mein Zeugnis gut wird. Na ja, nicht so toll ist es in Mathematik. Mathe finde ich leider langweilig. Am liebsten mag ich Deutsch.

Tabea
Mein Zeugnis wird gut. In allen Fächern. Bei Mathe ist es so: Ich mag es nicht, aber ich kann es.
Mein Lieblingsfach ist Textilarbeit/Werken, zum Beispiel mit Papier basteln. Das macht Spaß.

Pavlo
Ich bin nicht so gut in Mathematik. Ich mag Mathe, aber ich kann es nicht. Zu Hause übe ich deshalb mit Mama. Ich glaube, sie mag Mathe. Ich mag lieber Eisessen und Fahrradfahren. Und in der Schule Textilarbeit/Werken. In Deutsch bin ich gut. Ich glaube, Mama ist ein bisschen nervös wegen dem Zeugnis.

a) In den Texten geht es um
☐ Lieblingshobbys ☐ Familie ☐ Schule

b) Welcher Titel passt für alle drei Texte? Mach Kreuzchen und schreib den Titel oben hinein.
☐ Mein Lieblingsfach ☐ Mein Zeugnis ☐ Ich mag Mathe

c) Was ist das Lieblingsfach der Schüler? Unterstreich in den Texten.

d) Wer hat eine gute Note in Mathe? Mach Kreuzchen.
☐ Tabea ☐ Pavlo ☐ Noah

e) Wer findet Mathe gut? Unterstreich die Stelle im Text.

f) Zu welchem Text passt das Zeugnis? Schreib den Namen.

ZEUGNIS
für ______________

Deutsch	2
Mathematik	4
Englisch	4
Sachunterricht	3
Religion	2
Sport	1
Musik	2
Textilarbeit/Werken	2

____

Lesen

LESETIPP:
Wenn du den Titel nicht verstehst, dann lies den ersten Abschnitt. Der sagt meistens etwas über den Inhalt der Geschichte.

5 Prinz, der Kicker (nach Lektion 39)

(1) Anton ist neu in der Klasse. Nirgends gehört er richtig dazu. Immer ist er allein. Nicht einmal beim Fußballspielen auf dem Schulhof darf er mitmachen. Denn Stefan hat gesagt, dass sie schon genügend Kicker sind. Deshalb schaut Anton in der Pause den anderen beim Fußballspielen nur zu.

(2) Plötzlich! Da ist etwas hinter ihm. Anton dreht sich um. Es ist Prinz, Antons Hund.
„Was machst du denn hier?", fragt Anton erstaunt.
Anton gibt Prinz ein Stück von seinem Brot.

(3) „Gebt den Ball wieder her", hört da Anton Stefan rufen. Die großen Schüler haben den Ball weggenommen. Sie werfen sich den Ball zu. Aber so, dass die Kicker den Ball nicht bekommen können. Die laufen und springen hinter dem Ball her. Die Großen lachen.

(4) Plötzlich läuft Prinz über den Schulhof. Er springt hoch und fängt den Ball.
„Prinz, hierher", ruft Anton. Die Großen schauen dem Hund hinterher.
„Gut gemacht", sagt Anton, als Prinz ihm den Ball vor die Füße legt. Dann läuft er damit zu Stefan und den anderen Kickern.

(5) „Gib den Ball wieder her, Kleiner", sagen die großen Schüler und gehen auf Anton zu.
„Lasst uns bloß in Ruhe", sagt Anton und wirft den Kickern den Ball zu. Lachend fängt einer der Großen den Ball. Prinz knurrt und springt auf ihn zu. Erschrocken lässt der Große den Ball fallen. Dann laufen die großen Schüler alle weg.

(6) „Jetzt hast du aber genug mit dem Ball gespielt", sagt Anton zu Prinz.
Er gibt Stefan den Ball.
„Los, Anton", ruft Stefan, „zeig mal, ob du so gut Fußball spielst wie dein Hund!"

1 Lies den Titel und den ersten Abschnitt. Verstehst du jetzt den Titel?

Ein Kicker ist ___ ein Schüler ___ ein Fußballspieler ___ ein Klassenlehrer

2 Lies nun die ganze Geschichte.
Unterstreich im Text alles, was du verstehst. Bestimmt verstehst du schon sehr viel.

3 Lies die Sätze. Zu welchen Abschnitten passen sie? Schreib die Nummern der Abschnitte.

____ Prinz ist da. ____ Prinz holt den Ball. ____ Anton darf mitspielen.
____ Anton ist immer allein. ____ Die Großen haben Angst. ____ Der Ball ist weg.

4 Lies die Sätze. Was ist richtig? Was ist falsch? Mach Kreuzchen.

	richtig	falsch
a) Es sind schon viele Fußballspieler da. Deshalb darf Anton mitspielen.		
b) Der Hund frisst Brot.		
c) Die großen Schüler lachen und geben den Ball wieder her.		
d) Der Hund bringt Anton den Ball.		
e) Die großen Schüler haben keine Angst und laufen weg.		
f) Anton gibt Stefan den Ball.		

Mehrzahl

(nach Lektion 24)
Hilf Planetino. Ordne die Einzahlwörter den Mehrzahlkörben zu, auch auf der nächsten Seite! Schreib die Nummern auf Planetinos Karten. Bilde dann die Mehrzahl.

Deutsch ist anders als Planetanisch.
Da gibt es viele Mehrzahl-Formen! Ich habe *neun* Körbe!
Was haben wir denn da? Mal sehen. „Ein Ohr" Hm. Ein Ohr ...
zwei Ohren! Also zu +en, Korb 4.

Mantel
Krankenhaus
Bauch
Arzt
Kopf
Gesicht
Bett
Haus
4 Ohren

Schreib die Wörter in die richtige Spalte, auch auf der nächsten Seite.

	1 +¨	2 +¨e	3 +¨er	4 +en	5 +er
nach Lektion 28 Uhr, Kind, Rad Vogel, Maus, Großmutter, Bär, Stadt, Elefant, Großvater					
nach Lektion 32 Bruder, Tür, Wurst, Gruß, Schi, Glas, Buch, Apfel, Eisenbahn, Garten, Fahrrad, Fußball					
nach Lektion 36 Malkasten, Blatt, Hemd, Baum, Fach, Fabrik, Rucksack					
nach Lektion 40 Lied, Kuh, Ball					

(nach Lektion 24)

Hilf Planetino. Ordne die Einzahlwörter den Mehrzahlkörben zu. Schreib die Nummern auf Planetinos Karten. Bilde dann die Mehrzahl.

Straße, Brötchen, Kuchen, Clown, Finger, Bein, Po, Tag, Arm, Farbe, Tasse

Schreib die Wörter in die richtige Spalte.

	6 +--	7 +e	8 +n	9 +s
nach Lektion 28 Tier, Name, Tiger Onkel, Jahr, Woche, Hobby, Freund, Oma, Schüler,Tante, Baby				
nach Lektion 32 Schwester, Auto, Stift, Fernseher, Geschenk, Kamera, Kartoffel, Würstchen, Poster, CD, Spiel, Adresse,				
nach Lektion 36 Heft, Blume, Lehrer, Klasse, Fenster, Brief, Stunde, Lineal, Mädchen				
nach Lektion 40 Monat, Junge, Zoo, Mäppchen, Tisch, Sprache, Band, Schaf Kätzchen, Aufgabe, Meerschweinchen				

Da ändert sich was!

Ergänze die Tabellen.

e → i

	geben	helfen	sprechen
ich	gebe		
du	gibst		
er/es/sie			
wir	geben		
ihr			
sie/viele			

	vergessen	essen	fressen
ich			
du			
er/es/sie	vergisst		
wir			
ihr			
sie/viele			

e → ie

	sehen	fernsehen	lesen
ich		sehe fern	
du	siehst		
er/es/sie			liest
wir			
ihr			
sie/viele			

a → ä

	schlafen	fahren	anfangen
ich	schlafe		fange an
du	schläfst		
er/es/sie			
wir	schlafen		
ihr			
sie/viele			

au → äu

	laufen
ich	laufe
du	läufst
er/es/sie	
wir	
ihr	
sie/viele	

Vorsicht! Ganz anders!

	nehmen	mitnehmen
ich	nehme	nehme mit
du	nimmst	
er/es/sie		nimmt mit
wir	nehmen	
ihr		
sie/viele		

	wissen
ich	weiß
du	
er/es/sie	weiß
wir	wissen
ihr	
sie/viele	

Material zum Schneiden und Kleben

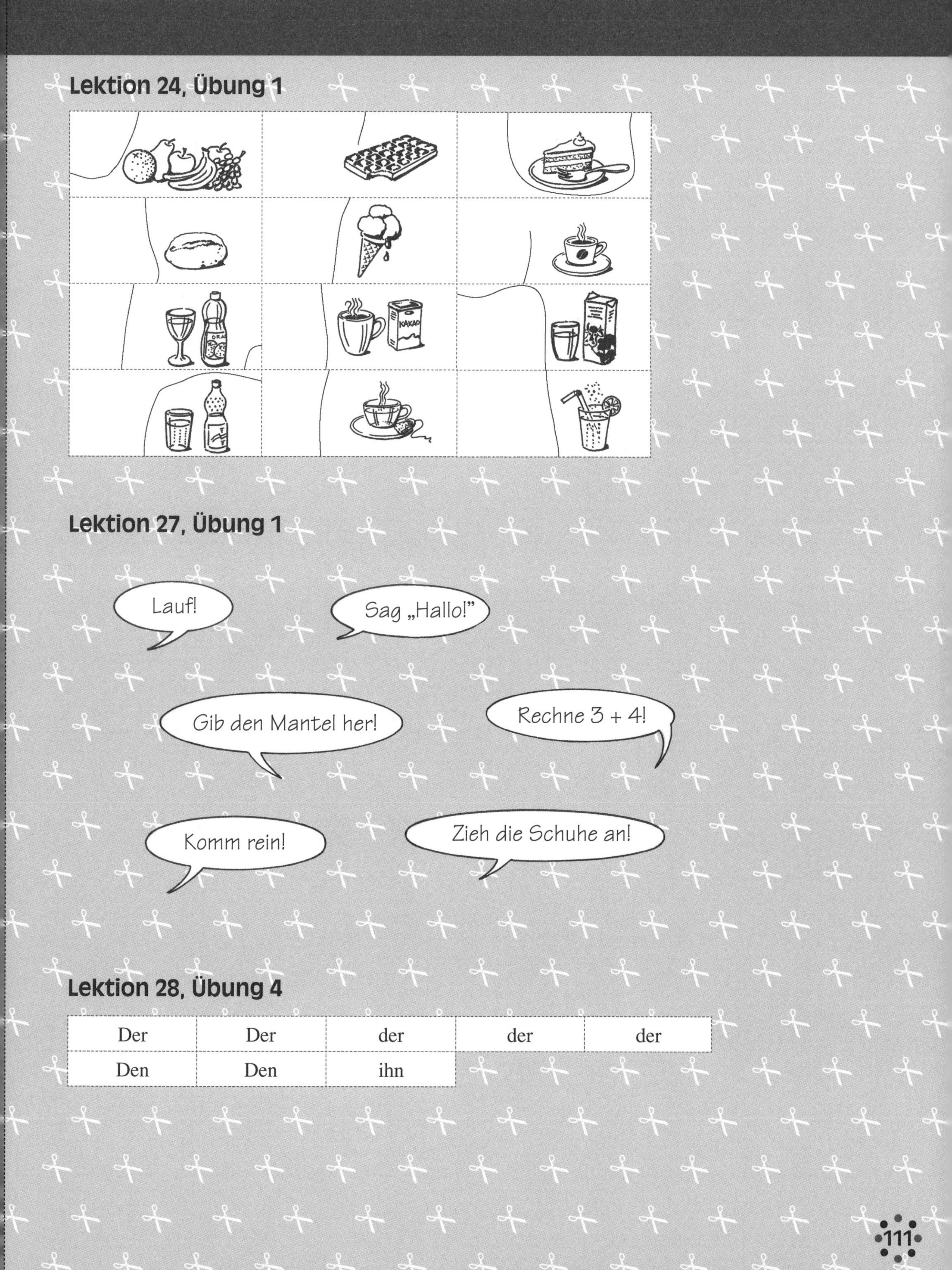

Der	Der	der	der	der
Den	Den	ihn		

Lektion 29, Übung 3

Lektion 33, Übung 1

Mathematik	Englisch	Kunsterziehung	Deutsch
Sport	Sachunterricht	Musik	Textilarbeit/Werken

Lektion 34, Übung 1

Lektion 37, Übung 1

Theater, Übung 1